졸업 전,

나는

역대 자산가가

되었다

졸업 전, 나는 억대 자산가가 되었다

발 행 | 2024년 07월 30일

저 자 | insoohippie

펴낸이 | 한건희

펴낸곳 | 주식회사 부크크

출판사등록 | 2014.07.15(제2014-16호)

주 소 | 서울특별시 금천구 가산디지털1로 119 SK트윈타워 A동 305호

전 화 | 1670-8316

저자이메일 | hisbd0325@naver.com

ISBN | 979-11-410-9625-0

졸업 전,
나는
역대 자산가가
되었다

insoohippie 지음

CONTENT

책을 시작하며

작년, 2023년 7월부로 자산이 1억 원에 도달하였고,

졸업을 앞둔 지금 1억 1,000만 원가량의 자산을 보유하고 있다.

저축하고, 소비를 통제하고, 투자하고, 끊임없이 마인드 셋 관리가 선행되었다.

이 책은 억대 자산에 도달하기까지의 과정을 담은 글이자,

수십억대 자산가로서의 첫걸음이다.

물질이 주는 편안함이 분명히 있지만, 나는 물질로 이루어진 사람이 아니다.

아름다운 자연을 볼 수 있는 또렷한 두 눈을 가지고 있고,

마음껏 운동할 수 있는 건강한 몸이 있다.

정신과 육체가 건강하신 부모님이 계시고,

형제는 없지만 마음을 터놓고 말할 동역자들이 있다.

내가 사랑하는 것이 무엇인지 또 싫어하는 것이 무엇인지를 정확히 알며

용광로같이 펄펄 끓는 열정과 젊음도 나에게 있다.

그리고 내 등 뒤에는 살아 계신 하나님이 계신다.

그러니 나는 잃을 것이 없다.

졸업하고 뭐해?

2024.03
26살, 졸업을 앞둔 마지막 학기

제1화 졸업하고 뭐해?

"졸업하고 뭐해?"

최근 가장 많이 듣는 말이다. 나에게 관심이 있어 물어보는 것 같진 않고, 그냥 마지막 학기라니 통념상 묻는 말인 듯하다, 뭐 돌아보면, 나도 졸업을 앞둔 선배들에게 종종 물었던 것 같다. 하지만 막상 들어보니 되게 당황스럽다, 사실 나도 잘 모르겠다. 질문을 받을 때마다 그럴싸하게 '대학원 준비하고 있어~' 라고 대답하지만, 실상은 여러 이유로 인해 이번 학기에 대학원 지원은 하나도 하지 않았다.

대학 시절 나는 열심히 살았다. 관계, 학업, 연구 등 다양한 영역에서 자기 계발을 했고, 소소한 성과를 내기도 했다. 하지만 그것과 별개로 대학 졸업 이후 나의 진로를 선택하는 것에 있어서는 큰 고민을 하게 된다. 빨리 취업해서 돈을 많이 벌어둘까? 아니면 기회비용을 지불하고서라도 대학원에서 연구할까? 이 두 선택지를 다 잡을 방법은 없을까에 대한 고민도 했다.

책을 시작하며 확실히 말해두고 싶은 것은, 이런 고민을 할 수 있다는 것 자체가 나에겐 감사다. 내가 좋아하고 사랑하는 것을 위해 고민할 수 있는 것 말이다. 나는 이 감사한 기회를 놓치고 싶지 않으며 이 기회를 잘 살려서 나의 길을 잘 준비하고자 한다.

다시

"졸업하고 뭐해?"

졸업하고 무엇을 할지에 대해 이야기하기 전, 나는 나에 대해 먼저 이야기하고 싶다. "졸업하고 뭐해?"라는 질문에서 요구하는 답변은 대부분 졸업 이후 사회제도 아래 내가 일하거나 연구할 곳에 대해서 답변하는 것이 일반적이기 때문이다. 졸업 이후의 나에 대해 말고, 온전히 나란 사람이 무엇을 좋아하고 사랑하는지 물어보는 사람이 없어 아쉽다. 대학이라는 기관을 졸업하나, 나는 그 사실에 종속된 채로 내가 정의되는 것이 싫다. 따라서 여러 스펙을 나열하여 내가 갈 행선지를 말하기보단 본질적으로 나는 어떤 비전이 있고, 어떤 것을 사랑하며 어떤 장점을 가지고 학교생활을 했는지에 대해 대답하고 싶다.

나를 정확히 알아야 미래 내가 가야 할 길을 알 수 있지 않을까? 그래서 먼저 좋아하는 것에 대해 쭉 이야기를 해보려 한다. 좋아하는 것을 생각만 하는 게 아닌, 그것을 행할 때 표출되는 나의 장점들에 대해 논해볼 것이며 마지막으로 내 마음에 품고 있는 비전을 어떻게 찾았고, 어떻게 이뤄 나갈 것인지부터 이야기 하고 싶다.

나는 글을 쓰는 것을 좋아한다. 나에게 글이란 말이기도 하다. 그래서 다르게 말하자면 나는 말을 쓰는 것을 좋아한다. 글과 말, 다른 것이 있다면 말은 주워 담을 수 없지만 글은 주워 담을 수 있다. 가만히 듣다 보면 참 다들 재미가 없다. 서로 자기를 내세우려 조급해하니 대화가 전투적이다. 오늘도 여전히 나 드러내기에 여념 없는 사람들이 참 많다. 언젠가 사람들과 만나는 것에 흥미를 잃어갈 때쯤부터 나는 글을 쓰기 시작했다. 그러한 의미에서 나에게 글을 쓰는 것이란 말을 하는 것이다. 글을 쓰는 것이 비록 들어주는 사람은 없을지라도 어설프게 들어주는 사람과 대화하는 것보다 훨씬 낫다. 또 겉으로 드러나는 것에 치중된 재미없는 대화를 하는 것보다 비록 혼자지만 속 깊은 내 이야기를 써내려 가는 것이 좋다. 2019년부터 네이

버 블로그 플랫폼에 글을 쓰기 시작했다. 나는 두 개의 카테고리 하에 주기적으로 글을 기재하였는데 이는 Daily Life와 Minimal Life다. 5년간 여태 각각 50개 정도의 글 연재를 잇다 현재는 잠시 중단하고 책을 쓰는 것에 몰두하고 있다. Daily Life에는 나의 삶에 대한 통찰을 기록했다. 솔직한 나의 감정과 선택, 그리고 그에 대한 생각과 통찰을 통해 앞으로 내가 나아가야 할 방향성에 대해 끊임없이 곱씹으며 글을 썼다. 다른 주제로 다뤘던 Minimal Life에는 투자일지, 돈에 대한 통찰 등에 대해 기록했다. 언젠가부터 Minimal Life를 추구하며 동시에 쓰지 않는 짐을 정리하는 과정을 글로 담았다. Minimal Life에 기재한 첫 글에는 중고 거래 플랫폼에 쓰지 않는 중고 물품을 팔아서 투자 자금 200만 원가량을 마련한 내용이 담겨있다. 그렇게 글쓰기도 5년 차, 나는 이슬아 작가의 말에 전적으로 동의한다. 그녀는 "글을 쓰면, 간혹 인생을 두 번 사는 느낌을 받는다. 겪으면서 한번, 해석하면서 한번 말이다."라고 말한다. 삶을 글로 해석하면 내가 했던 말과 행동을 다시 돌아볼 수 있고, 실수도 다시금 천천히 짚어볼 수 있다. 다시 돌아보기도 싫은 실수를 한 날, 가깝게 지냈던 이에게 큰 상처를 받은 날도, 아무것도 하지 않고 흐리멍덩하게 보낸 날에도 나는 글을 꼭 썼다. 글로써 다시 내게 주어진 하루는 내가 새롭게 디자인할 수 있기 때문이다. 그렇게 혼자서 글을 쓰는 것이 어느덧 내 마음을 차분히 정리하는 수단이 되다 보니, 나는 힘들고 우울할 때마다 글을 끄적거리곤 한다. 말하듯 글을 쓰고, 글을 쓰듯 말을 하니 누군가에게 말할 때 당황하거나 급하지 않고 논리적으로 차분히 말할 수 있다. 글을 쓰기 시작했을 당시, 논점을 흐리는 미사여구를 하나씩 지우다 보니 어느덧 글의 절반이 사라졌었다. 그렇게 내가 적은 글을 지우고 다시 쓰는 반복훈련을 거쳐, 하나의 문장에도 말하고자 하는 뜻이 분명히 담긴 깔끔한 글을 쓰기 시작했다. 말도 그러하다. 너무 쓸데없는 미사여구가 많으면 듣는 사람으로 하여금 질리게 한다. 말이 많은 것보다야 차라리 말수가 적은 편이, 나에게 그리고 상대에게 좋다. 글은 나를 기다려

준다. 그래서 나는 글을 쓰는 것이 좋다.

 나는 음악 하는 것을 좋아한다. 너무 광범위하여 두루뭉술하게 느껴질 수 있으나 음악과 관련된 일련의 모든 행위를 일컬어 '음악을 한다'로 나는 정의하였다. 음악을 하는 것으로는 음악을 듣는 것, 또 악기를 다루는 것도 있을 것이며 좋아하는 가수의 콘서트를 보러 가는 것도 내게는 일종의 음악을 하는 것이다. 부모님은 초등학교 4학년이 된 나를 부산에 위치한 낙원상가에 데리고 가 마음에 드는 기타를 골라보라고 하셨고, 그렇게 나는 부모님께 어쿠스틱 기타를 선물 받았다. 그러면서 부모님은 내게 '너무나 당연하게 느껴졌던 사람의 위로와 온기가, 언젠가 그러지 못한 순간이 올 것'이라 말씀하시며 그때를 대비하여 음악을 배우길 권하셨다. 그렇게 나는 어린 나이에 어쿠스틱 기타에 입문하였고, 같은 교회를 다니던 형에게 기타를 배웠다. 당시 버스커버스커와 같은 밴드음악이 유행하면서 '여수 밤바다', '벚꽃엔딩'과 같은 어쿠스틱 기타곡이 쏟아져 나왔기에 부푼 기대감을 안고 음악을 시작하였다. 하지만 밴드 곡을 멋지게 기타로 연주하는 상상과는 반대로 기타를 배우기 시작한 첫 1년은 무지 재미가 없었다. 많고 많은 곡 중, 초보인 내가 칠 수 있는 곡은 없었으며, 탄탄한 기본기를 다지기 위해 매일 연습했던 것은 따분한 크로매틱과 칼림소 주법뿐이었다. 재미없는 기본기만 반복하니 애착을 가지고 연습에 임하지 않았고, 수업 시간마다 혼나기 일쑤였다. 그렇게 기타에 흥미가 떨어질 때쯤, 중학생이 되면서 교회 중고등부를 나가게 되었다. 그 당시 중고등부는 학생들로 구성된 찬양팀이 있었는데, 어린 나는 각자가 연주할 수 있는 악기로 합을 맞추어 찬양하는 것이 참 멋지다고 생각하였다. 그렇게 찬양팀의 어쿠스틱 세션으로 들어가기 위해 매일 연습하였다. 당시 교회에서 오랫동안 같이 커온 친구들도 각기 다른 악기를 배우기 시작했을 때였고, 혼자서 치는 것보다 함께 합주하다 보니 더욱 재미가 있었다. 그렇게 어쿠스틱 기타 세션으로 찬양팀에 합류하게 되었고, 그로부터 12년간 교회에서 기타를 들고 찬양팀을 섬기고 있다. 함께 찬양했던 친구들은 성인이 되면서 각자 다른 지역으로 흩어졌다. 나는 스무살에 포항으로 대학에 왔고, 과외를 8개월 동안 하여 번 돈 190만 원으로 중고 기타 야마하 LL26 ARE 모델을 구매하여 6년간 잘 사용하고 있다. 내가 좋아하는 가수로는 우주 히피, 정아로, 김현서 등이 있고, 조일건 기타리스트를 좋아한다. 좋아하는 음악가들의 공통점은 대부분 차분히 곡을 연주하는 것이다. 말하듯 연주하는 느낌에, 그들의 음악을 듣고 있노라면 가사에 온전히 집중할 수 있어 좋다. 망원동에서 가끔 열리는 우주 히피 공연, 얼마 전 부산에서 열린 정아로 콘서트, 조일건 기타리스트의 기타 샵에 방문해서 실제로 얼굴을 마주하고 음악에 대한 이야기를 나눌 수 있었다. 좋아하는 가수와 대면으로 대화를 나눈다는 건 참 특별한 일일 것이다. 그렇게 보고, 듣고, 닦고 닦은 실력을 갖추고 폴란드 길거리에서 기타 치며 노래한 그때를 떠올리면 이렇게 행복할 수가 있나 싶어 마음이 몽글하니 찡하다.

나는 여행하는 것이 좋다. 사실 마땅히 떠오르는 단어가 생각이 나지 않아 여행하는 것이라고 표현했지만, 국내외 여행을 포함하여 해외에서 거주하고, 공부하는 모든 과정을 말한다. 나는 성인이 되고 총 30개국을 여행하였다. 아시아, 중동, 유럽, 아프리카, 북미, 중남미 등을 여행했고, 현재는 볼리비아의 코차밤바에서 머물고 있다. 해외를 경험하는 것은 내가 생각하기에 대학생 때 돈을 모으는 습관만큼 중요하다. 우리에게 익숙한 안식처를 벗어나 혼자 해외에서 거주하면 자연스레 알게 되는 나의 부족한 모습들이 있다. 당연히 좋은 곳, 좋은 음식만 먹고 다니는 호화여행이 아니라 배낭 여행하며 열악한 곳, 불편한 것을 감수하며 떠나는 여행을 말하는 것이다. 내가 생각하기에, 대학생 신분으로 해외 경험을 쌓을 수 있는 지원제도가 잘 마련되어 있다. 예를 들자면 교환학생, 방문 학생, 해외 인턴 등을 통하여 우리는 파견된 나라에서 거주하며 본인의 전공 분야에 있어 견문을 넓힐 수 있다. 운이 좋게도, 나는 교환학생을 통하여 해외에서의 좋은 기회를 누릴 수 있었다. 2023년 9월부터 2024년 3월까지 나는 폴란드 포즈난에 위치한 Adam Mickiewicz University로 교환학생 파견을 하러 갔다. 학부생 때 실험모델로 대부분 쥐를 모델로 실험하는 것에서 비위가 약한 나는 어려움을 겪었다. 연구 환경에 적응하는 것이 어렵다 보니 자연스레 내가 연구하는 것에 대한 흥미를 잃었다. 그러던 찰나, 서울대학교 자연과학 대학 소속의 식물유전체 연구실에 '식물 물관 발현 유전자 조작' 연구 주제로 인턴에 참여할 기회가 있었다. 해당 연구실에서는 다루는 실험모델이 식물이었고, 동물실험실과 달리 좋은 흙냄새와 실험 내 사고 비율이 적은 쾌적한 연구 환경이 마음에 들었다. 그렇게 나는 식물에 관심을 가지게 되었지만, 재학 중인 한동대학교에는 학부 수업과 실습 및 연구가 모두 동물 모델로 교육과정이 이루어져 있었다. 이에 나는 교환학생을 통하여 내가 관심 있는 식물전공 분야 학문과 연구를 경험할 수 있었다. 그렇게 난 6개월간 폴란드에 거주하며 학교에서 만난 외국 사람들의 삶의 문화, 진로 등을 공유하며 경험하였다. 나는 솔직하고 독립적인 그들의 삶의 자세가 좋았다. 일반화하기 어렵지만, 서로의 눈치와 편의를 과도하게 신경 쓰는 한국 사회와 관계에서 벗어나 온전한 나의 삶을 들여다볼 여유가 있는 삶이 좋았다. 남을 신경 쓸 시간에 본인의 삶에 솔직하게 임하니, 이들은 정말 순전히 자신이 사랑하는 것을 하며 산다. 여행을 하지 않았다면, 평생을 모른 채 숨 바삐 살아갔을 것이다. 세상은 무지 넓고, 다양한 사람들이 있으며 행복의 기준은 남이 아니라 본인에게 있다.

나는 모험하는 것이 좋다. 최근에 나는 프리 다이빙에 입문하였다. 이집트 여행을 하다가 다합과 블루 홀이라는 곳에 대해 알게 되었고, 그곳이 세계 3대 다이빙 명소라는 것을 알게 되었다. 그렇게 나는 국제연맹 AIDA 소속의 프리 다이버가 되었다. 프리 다이빙은 호흡 장비 없이 무호흡으로 수중에서 잠수하는 활동을 말한다. 수면에서 호흡을 가다듬고, 숨을 크게 들이마신 뒤 수직으로 심해를 잠수한다. 수심이 깊어질수록 수압에 고막이 먹먹해지는데, 이퀄라이징으로 귓속 압력을 계속해서 뚫어주며 잠수한다. 그렇게 23m가량 홀로 내려가다 보면 어느덧 나는 사방이 암흑 속으로 둘러싸인다. 고막과 심장이 터질 듯한 그 아찔한 찰나의 순간에 미친다. 다른 액티비티 스포츠인 스카이다이빙이 버킷 리스트였던 나는 유럽에서 스카이다이빙할 곳을 찾았으나, 겨울에는 안전상의 이유로 스카이다이빙 업체들이 운영하지 않았다. 그렇게 스카이다이빙하기 위해 날씨가 따뜻한 여행지를 알아보았고 그렇게 멕시코에서 스카이다이빙을 도전했다. 내가 머물렀던 플라야 델 카르멘은 칸쿤과 더불어 멕시코의 유명한 관광명소인데, 이곳은 길게 늘어진 에메랄드빛 해안을 따라 관광지로 발전되어 있다. 해안 길에 위치한 이륙장에서 경비행기를 타고 상공 12,000m까지 올라간다. 프리다이빙과 마찬가지로 고도가 높아질수록 귓속 압력이 심해지는데, 이를 고려하여 비행기는 나선형으로 빙글빙글 크게 원을 그리며 상승한다. 어느덧 구름을 뚫고 올라온 이곳에서 수직 강하 콜싸인이 떨어지면, 다이버와 함께 비행기에서 낙하한다. 구름을 뚫을 때 미스트를 뿌린 것처럼 온몸이 서늘한 기분이 들어 온몸의 털이 비쭉 서지만 구름을 지나는 순간 그 아래로 펼쳐진 에메랄드빛 바다가 보인다. 멕시코 구름 위를 날고, 이집트 심해에서 잠수하는 삶이라, 가히 그럴만한 가치가 있다고 확신한다.

왜 갑자기 좋아하는 걸 말하냐고? 나는 좋아하는 걸 하며 살고 싶기 때문이다. 대학은 정해진 커리큘럼을 이수해야 졸업이 가능한 구조로 이루어져 있다. 내가 전공한 생명과학 분야에 전문가로 성장하기 위해선 학교의 커리큘럼을 성실하게 따라가는 것이 옳다. 하지만 생명과학자, 연구자 또는 사업가 황인수 말고 인간 황인수는 무엇을 사랑하고, 어떤 것을 좋아하는지 생각해 보는 것이 선행되어야 한다. 본인 자신을 기관과 직업이란 틀 안에 종속시키지 말자는 것이다. 세상이 정해 둔 기준, 평가에 집중하다 보면 온전한 나를 잃게 된다. 재학생 때 수없이 느꼈을 것이다. 11~12주 차에 빠짐없이 찾아오는 번 아웃, 그건 나의 부족함으로 인한 것도 아니고 나의 잘못도 아니다. 나를 조금 더 알아봐 주고, 이해해 주고, 기다려주는 시간을 스스로에게 주지 않아서 일어나는 일이기도 하다. 학기 종강만을 하염없이 기다리는 대학 시절을 보내는가? 그럼 졸업하고 나서는? 졸업 하고 나서 사회에 진출하게 되면 정년까지 일을 하며 또는 연구하며 지내야 하는데 그때는 종강이라는 개념이 없다. 그러니 세상의 일부로 살아가는 우리가 스스로 흐름을 가져오는 연습을 해야 한다. 내가 무엇을 사랑하는지 알고, 어떤 사람을 좋아하며, 어떤 시간이 나에게 가장 힐링이 되는 시간인지 등 말이다. 어쩌면 내가 전공한 것과 전혀 관계없는 일이 나올 수도 있다. 나는 글 쓰는 것을 좋아하지만, 아직 책 한편 내지 않은 무명작가이다. 물론 이 책을 시작으로 다양한 주제로 책을 연재할 계획이다. 또 나는 기타 치는 것을 좋아하지만 어느 밴드에도 소속되어 있지 않다. 오히려 나는 사람들에게 보이는 자리에서 음악을 하기보다는 혼자서 음악을 하는 경우가 많다. 그렇다면 여행은? 나는 전문적으로 여행을 하는 사람도 아니다. 하지만 혼자서 아시아, 유럽, 북미, 중남미, 중동, 아프리카 등 다양한 여행지를 정처 없이 떠돌아다녔다. 동일한 관점에서 나는 프리 다이버 아니고, 스카이다이버도 아니다. 꼭 전문가가 아니어도 충분히 우리는 즐기고 사랑하는 것에 도전할 수 있다. 탁월하지 않아도 혹은 엉터리, 못나 보여도 내가 좋아한다면 주변의 시선을 끄고 그냥 도전하는 것이다. 남이 정해준 틀 안에 갇혀 살아가는 것보다 온전히 내가 하고자 하는 것에 집중하는 것이야말로 인생을 주체적으로 살아가야 하는 자세가 아닐까? 이러한 이유에서 나는 색깔이 뚜렷한 사람이 좋다. 본인에 대해 잘 알고 그걸 실천하는 사람 말이다. 본인의 주관과 생각이 건강하고 뚜렷하고, 남의 말에 이리저리 흔들리지 않는 굳건한 사람 말이다. 어떤 상황에 처해있을지라도 내 생각을 당당하게 말할 수 있는 사람 말이다.

졸업 전, 마지막 학기에 '인간 자기 성장과 이해'라는 강의를 수강하였다. 줄여 인자기 수업이라고 많이들 말하는데, 정말 만족하며 수강한 과목이다. 수업 내용은 자아에 대한 것을 주로 다룬다. 개인적으로 좋았던 점은 주변이 말하는 '황인수'에 대해서 알 수 있게 되었다. 앞서 주야장천 이야기한 것은 내가 생각하는 나에 대한 것으로 그치지만, 주변에서 말하는 나의 모습, 강점에 대해 들을 수 있었다. 첫 과제였던 '나의 강점 100가지 알아 오기'에서 남이 생각하는 나의 강점을 알게 되었고, 이것에 대해 아는 것이 나의 역량을 잘 펼치는 것에 더욱 도움이 되었다. 주변에서 공통적으로 언급해준 나의 강점은 이러하다.

주변에 좋은 사람이 많다. 맞다 내 근처엔 항상 좋은 사람들이 많다. 각자 스스로에게도 좋은 사람이지만, 나에게 좋은 영향을 주는 사람들이 대부분이다. 때론 그들에게 동기부여를 얻기도 한다. 좋은 사람을 만나기 위해선 내가 좋은 사람이 되어야 할 것이다. 내가 남들에게 좋지 못한 영향을 주는데, 남에게는 좋은 것만 바란다는 것은 도둑놈의 심보. 좋은 영향을 주는 것에는 다양한 형태의 모습이 떠오른다. 당신은 어떤 사람을 좋은 사람으로 기억하는가? 내가 생각하는 좋은 사람의 모습은 이러하다. 첫째로 상대의 말을 경청하고, 마음에 공감하는 사람이다. 하지만 내가 말하고자 하는 경청과 공감은 무조건적 희생의 태도로 행하는 것이 아니다. 본인의 사사로운 가치관과 생각에 사로잡혀 상대방의 상황에 이런저런 평가와 조언을 하는 것이 아니라, 말을 줄이고 상대의 마음을 읽어주는 것이야말로 진정한 공감을 말하는 것이다. 자칫 조언을 빙자한 본인 자랑을 하는 사람이 간혹 있다. 상대의 입장에서 바라보는 것이 아닌 본인의 입장에서 판단하고 평가하여 조언하다 보니, 자연스레 본인의 이야기를 한다. 고민을 털어놓은 상대의 이야기에 집중하는 것이 아니라 나는 이렇게 했는데, 나는 저렇게 생각하는

데 등 본인의 이야기를 한다. 내가 생각하는 이상적인 관계는 서로 각자의 열심이 있고 동시에 서로에 대한 존중이 있으면 된다. 힘든 것을 공유하더라도 상대방을 존중하는 자세로 나의 열심을 내려놓고 상대의 열심을 공감해 주면 된다. 너무 본인 이야기가 하고 싶어 입이 근질거린다면 본인을 길러 주신 부모님께 가서 이야기하는 게 어떨까? 또 내가 이해되지 않아도 무조건적인 공감을 하는 사람이 있다. 그것 또한 나는 반대의 입장이다. 내가 생각하기에 이해가 되지 않는 것은 조심스레 물어보고, 그 물음을 통한 상대방의 답변 속마음을 읽어주고 이해해 주는 것이야말로 진정한 공감이 아닐까. 이러한 의미에서 진정으로 상대를 위한 공감은 표현에서 드러나는 것이 아니라고 생각한다. 특히 나는 MBTI를 들먹이며 공감을 운운하는 사람들이 싫다. F만 공감하고, T는 공감을 못 한다는 멍청한 소리를 하고 있다. 무조건적으로 부모가 어린아이 달래듯, 감정적인 위로만이 공감이라 생각하고, 그런 공감만을 원한다면 오히려 본인이 상대에게 무례한 것이다. 그걸 하나하나 받아줄 수 있는 사람은 어디에도 없다. 하나님은 받아 주실 지 모르겠다. 종합하여 표현적 공감이 아닌 마음의 공감을 할 수 있는 사람이 나는 좋은 사람이라 생각한다. 두 번째 유형은 차분한 사람이다. 활발한 사람이 주는 긍정적인 에너지가 분명히 있지만 나는 차분한 사람에게 더욱 좋은 영향을 받는 편이다. 우리는 긍정적인 마음이 있지만 동시에 부정적인 마음도 있다. 본인 마음을 차분히 정리하지 않는다면 말에는 핵심이 없고, 자꾸 행동으로 실수가 나온다. 그래서 좋은 마음에 잘 하려고 해도 자꾸 이가 맞지 않는 느낌이 든다. 선행적으로 본인의 마음에 대해 면밀히 관찰하지 않고 말과 행동을 한다면 그건 분명 나와 상대방에게 스트레스를 주는 모습일 것이다. 마치 우리의 마음은 흙탕물과 비슷하다. 흙탕물을 마구잡이로 휘저으면 주변에 불순물이 이리저리 튀어 엉망이 된다. 우리의 말과 행동은 휘젓는 행위이며, 차분함을 잃고 말과 행동을 남용하면 이리저리 불순물로 마음이 엉망이 될 것이다. 침착함을 유지하면 실수가 줄고 나의 감정에 솔직할 수 있다. 누가복음에 나오는 예수님의 모습이 내게 참 인상적이었다. 따르던 제자들의 배신, 유대인들의 모욕과 조롱 속에서도 예수님은 말이 없으시다. 고난 속에 침묵을 유지하시다 끝내 하나님께 '엘리 엘리 라마 사막 다니'라 외치신다. 비록 한마디뿐이지만 예수의 억울함과 분노, 절망의 탄식 소리를 외치신다. 억울하고 분노로 가득 찬 마음속에서도 침착함을 유지하시고 주변 제자들 또는 사람들에게 표출하지 않으신다. 그러니 우리는 예수님의 진심을 느낄 수 있다. 만약 예수님이 억울함을 풀기 위해, 자기 자신을 대변하기 위해 매 순간 일장 연설을 했다면 어땠을까. 침묵하는 것이 내 진심을 전하는 좋은 방식이다. 셋째로 본인에게 솔직한 사람이다. 남의 평가와 시선에 혈안이 되어 있는 사람들은 본인 스스로 솔직하지 못한 삶을 살 가능성이 높다. 물론 인간은 사회적인 동물이기에 남에게 비치는 나의 모습도 충분히 신경을 쓰며 살아가야 한다. 하지만 나의 에너지가 남들이 생각하는 나의 이미지를 위해 모두 소진된다면 자신의 내면을 들여다보지 못한다. 본인에게 솔직하지 못한 사람은 남이 주는 시선과 사랑에 늘 허덕이며 살아갈 것이다. 일례로 과하게 SNS에 중독된 사람들이 있다. 매일 일상을 공유하지 않으면 좀이 쑤시고, 내가 올린 게시글의 '좋아요'와 댓글 창을 매일 들어가서 확인하며 그것을 위안 삼아 사는 삶 말이다. 피드에 나온 사진들이 마치 나의 일상적인 삶인 것처럼 남에게 보이기 위해 눈에 충혈이 된 채 사진을 보정하고 있다. 우리는 무엇을 위해 그리 어렵게 살아가는가. 남에게 미움받을 용기가 없으니 나를 자꾸 거짓된 모습으로 숨기려고 한다. 이는 본인이 상처받지 않기 위한 가면을 뒤집어쓴 것이기에 상대가 그에 맞는 말과 행동을 해주지 않으면 큰 상처를 받는다. 결국 상대방도 본인과 말할 때 필요 이상으로 신경이 쓰이게 된다. 본인에게 솔직하지 못한가? 그렇다면 주변인들도 당신에 대해 불편해할 것이다. 그건 눈과 말하는 것만 들어도 안다. 남을 위해 살아가는 사람인지, 나를 위해 살아가는 사람인지 말이다. 그러니 남을 위해서라도 본인에게 솔직해지자. 뉴욕에 잠시 머물 때,

'지미 팰런 투나잇 토크쇼'의 방청객으로 참석할 기회가 있었다. 그때 난 미국인들의 자유롭고 솔직한 방식이 너무 유쾌하고 호방하여 마음이 뻥 뚫리는 기분이었다. 그들은 대화다운 대화를 하고 있다. 하지만 한국에서 만나는 사람들은 대부분 상대가 나를 어떻게 생각할지 끊임없이 염려하고 두려워한다. 저 사람이 나를 이렇게 생각하면 어쩌지, 내가 이런 말과 행동을 했을 때 나를 이상하게 보면 어쩌지 등 말이다. 남을 존중하고 귀 기울이되 나를 잃지 않는 것이 중요하다. 3가지 유형으로 간추려 설명하였지만, 내 주위엔 위와 같은 사람들이 많다. 우리는 서로의 말에 경청하고, 마음에 깊은 공감을 하며 차분하고 솔직하다. 주변에 이처럼 훌륭한 사람들이 있는 것은 나의 큰 장점이자 동시에 나도 그러한 사람이 되도록 동기부여를 받는다.

추진력이 있다. 내가 관심이 있는 것에는 주도적으로 일을 진행한다. 내게 주어진 일을 하는 것과 내가 하고자 하는 일을 하는 것에는 분명 차이가 있다. 보통 두 가지 일을 동시에 할 때 나는 내가 하고자 하는 일에 신경을 좀 더 쓰는 편이다. 지금 이 책을 쓰는 것도 그러하다. 이 책의 초안을 마지막 학기 중에 작성하고 있다. 졸업 논문과 전공교과목 프로젝트를 진행해야 하는 학기지만 요즘 나의 관심사는 오로지 책을 출판하는 것이기에 시간을 더욱 할애하여 글을 쓰고 있다. 언젠가 누군가가 나에게 좋아하는 것을 어떻게 실행할지 모르겠다는 고민을 털어놓은 적이 있다. 꽤 본인의 삶에 충실하고, 훌륭한 스펙이 있으며 그에 대한 경험과 열정이 있는 사람인데도 불구하고 본인이 좋아하는 것에 있어서 소극적인 태도를 보였다. 사실 그 질문을 듣고, 무슨 소린지 한참을 이해하지 못했다. 왜냐하면 마치 1+1=2인 것처럼, 나에게는 너무나도 당연하다 보니 그에 대해 오히려 어떻게 풀어 설명해야 할지 몰라 횡설수설하였다. 심장이 쿵쾅거리고 생각만 해도 흥분되는 일이 있는가? 그럼, 그것이 무엇이든 과감히 쟁취하면 되는 것이다. 위에서 기재했던 내가 좋아하는 것들은 생각만 해도 설레고 흥분되는 일이다. 정말 본인의 마음이 그렇다면 그 일에 집중하면 되는 것이다. 추진력이라는 태도는 결국 차이를 만든다. 처음 시작은 비슷할 수 있으나, 본질적으로 주어진 것만 받아먹는 사람과 본인이 먹을 것을 찾아다니는 사람은 결과가 다르다. 그러니 우리는 평계의 틀을 깨야 하며, 그중에서도 우리는 대학이라는 틀을 깨야 한다. 대학이라는 기관 안에서 활동만 주구장창 하는 사람들이 있다. 물론 본인의 성향을 파악하기 위한 첫 단계로 학교에서 일을 해보는 것이 좋은 수단이 될 수 있다. 예를 들어 본인이 사람들과 함께 일하는 것이 편한지, 혹은 관계 문제에 직면하여 그것을 풀어나갈 경험과 같은 것 말이다. 본인을 트레이닝 하기에 한두 번 정도는 대학이라는 기관 아래에서 일을 하는 것도 훌륭하지만 그것에 종속되어 버리면 본인의 색깔을 잃는다. 정말 내가 좋아하고 관심 있는 것이 대학이라는 기관에서 모두 제공해 줄 수 있는가? 절대 그렇지 않다. 훌륭한 기회를 제공받을 수 있겠으나 우물 안에서 벗어나는 연습이 필요하다. 우물 밖을 내다보는 것 또는 우물을 나서는 것에는 큰 결심이 필요하다. 괜히 나가는 것이 피곤하기도 할 테고 상처를 받기 일쑤일 것이다. 위닝 멘탈리티, 고기도 먹어본 놈이 그 맛을 아는 것처럼 성공을 맛본 사람이 성공하는 것이다. 처음이야 어렵지, 마음을 굳게 품고 된다고 생각하고 모든 일에 임하면 정말 안 될 일도 된다. '추진 있다'는 또 능동적이라는 의미로 해석할 수 있다. 자기 주체적인 삶을 나는 중요하게 살아간다. 작고 보잘것없는 일이라도 나의 마음이 그 곳에 있다면, 그 순간 나는 내 삶을 사는 것이다. 하지만 아무리 큰일을 할지라도 나의 마음이 그곳에 없다면, 그것은 나의 삶을 주체적으로 살아가는 것이 아니다. 당신은 주체적으로 사는 사람인가? 매일, 매 순간 그렇게 살기란 참 어렵다. 하지만 그렇게 사려고 조금이라도 발버둥 쳐보고, 느리더라도 주체적으로 내 삶을 사는 것을 연습하면 언젠가 나는 나로서 살아갈 수 있을 것이다.

자기 주관이 뚜렷하다. 누군가에게 고집처럼 보일 수 있겠으나, 나는 주관이 뚜렷하며 동시에 잘 타협하지 않는다. 21살 산업체에서 군복무를 했을 당시, 20명 넘는 산업기능요원들이 있었다. 그곳에서 좋은 사람도 만났지만, 질이 좋지 않은 사람도 참 많았다. 군 생활이자 사회생활을 편하게 하기 위해선 선임들과 부서 직원들의 비위를 맞춰가며 유흥과 술, 담배를 함께 해야 하는 자리도 있었다. 매 순간 선택의 갈림길에서 나는 나의 주관을 잃지 않았다. 하나님 앞에서 하지 않겠다고 선언한 것은 어떤 상황이 닥쳐도 하지 않는 것이다. 나는 술과 담배를 하지 않는다. 단순히 몸에 좋지 않아서, 기독교인의 개념으로 볼 것이 아니다. 나는 유혹에 참 약한 부족한 지체이다. 내가 술과 담배에 손을 댄다면, 힘들고 지칠 때마다 술과 담배를 생각하며, 그것에 의지할 것이다. 처한 현실에 순응하여 타협하는 것 보다 나의 정신이 무너지는 것이 나에겐 훨씬 두렵다. 예시를 술과 담배로 든 것이지, 마약 도박 유흥 또한 동일한 이유에서 마찬가지이다. 처한 현실로부터 회피하기 가장 좋고, 달콤한 것들에 회피하는 것에 길들면 땀 흘려 쟁취하는 것에 대해 가볍게 생각한다. 이는 노동의 가치를 잃어버리게 되고 사람과의 관계에서 적절한 거리를 자꾸 범하게 된다. 결국 본인에게 가장 쉽고 간편한 방법으로 도파민이 가장 왕성하게 분비되는 방법을 좇는다. 설령 그것이 본인에게 좋지 않은 방법일지라도 말이다. 결국 본인의 주관, 삶에 있어서 중요한 가치 또는 본인 스스로 약속한 것들이 없다면 세상에 쉽게 흔들리고 말 것이다. 본인이 처한 세상에선 그러지 않다고 말할 수 있다. 꽃밭과 같은 정말 좋은 환경에서 태어나서 삶에 힘듦을 한 번도 겪지 못했다면 그건 복 받은 것이 아니라 오히려 더욱 긴장할 필요가 있다.

주변을 통해 알게 된 나의 모습은 이러하다. 내가 생각하는 나의 모습과 또 주변을 통해 알게 된 나의 모습을 종합하여 내가 좋아하고 자신 있어 하는 것을 고려하여 직업을 선택하는 건 어떨까? 주변에 좋은 사람들이 많으며 주관을 가지고 추진력이 있는 사람이라, 나는 사람들과 함께 일하며 무언가를 끌어내는 것에 능하다. 홀로 연구실에서 몇 날 밤을 지새우며 연구에 매진하기보다는 사람들과 협업하여 목표를 끌어내는 직무에 더욱 적합하다. 교환학생을 통하여 해외에서 거주하고 생활하는 것에 대해 어려움이 없었기에 굳이 한국에서 지내야 할지에 대해서 의문이 들었다. 특히 나의 전공 분야인 기초과학 산업은 한국이 국제적으로 우세한 성과를 내지 못하기에 전공을 고려하더라도 해외로 진출하는 것이 더 합리적이라고 생각했다.

 나는 어쩌다 포항, 그것도 시골 흥해에 위치한 한동대학교에 와서 생명과학을 전공하였을까? 비전에 대한 이야기를 좀 해보려 한다. 대입을 결정하는 시기, 6장의 수시 지원서는 이 세상에 살아가며 내가 비전을 이루어 나갈 수단이라 생각하였다. 자연스레 나의 비전을 대입 지원에 적용하였으나, 동시에 나의 비전을 대학 커리큘럼에 접목하는 것에 익숙하지 않아서 고민을 많이 했을 시기였다. 그렇게 고등학생 3학년이 되고 나는 교회 학생부 담당 목사님과 대입지원과 비전에 관해 이야기를 나누었다. 나의 가장 큰 궁금증은 "내가 좋아하는 것을 과연 비전이라 할 수 있는가?"였다. 나는 당시 수의대를 가고 싶었으나, '하나님 저 수의대 가고 싶으니 보내주세요'라는 기도가 입 밖으로 나오지 않았다. 왜냐하면 나의 개인적 만족과 기대되는 사회적 명성을 위해 하나님의 뜻을 구하는 것이 아닌 내가 원하는 것을 단순히 하나님께 요청하는 것이 하나님의 자녀로서 옳지 않은 태도라 직감했기 때문이다. 그렇다면 왜 수의사가 되고 싶은지 이야기를 해봐야 할 것이다. 나는 외동아들로 학창 시절 사춘기 시절을 보냈고, 내가 초등학생 당시 부모님께서 작은 강아지 한 마리를 집에 데려오셨다. 나중에 부모님께 들어보니, 사춘기 시절 나는 부모님께 딱딱한 아들이었지만 부모님께서 데려오신 귀여운 강아지를 보고선 어린아이처럼 순수한 모습이 보였다고 하셨다. 실제로 나는 강아지와 함께 커가면서 편차가 컸던 감정 폭이 수그러들었으며 어려웠던 사춘기를 조금씩 극복하였다. 이런 배경에서 나는 강아지에게 깊은 유대감을 느꼈고 그로부터 동물을 위해 할 수 있는 일이 무엇인가를 찾다 보니 수의사라는 직업에 대해 알게 되었다. 그렇게 수의대를 목표로 열심히 공부하며 동시에 신앙생활도 최선을 다했으나 대학입시 당시 딜레마에 빠지게 되었다. 인생의 중요한 순간을 놓고 기도를 하는데, 수의대를 놓고 기도를 하는 것이 진정 가슴으로 와닿지 않았다. 동물을 좋아하는 계기는 분명하나 동시에 수의대라는 좋은 대학에 가고자 하는 개인적 욕심으로 느껴졌기에 기도가 조심스러워졌다. 이러한 고민을 학생회 목사님께 말씀을 드렸고, 목사님과 함께 비전에 대해 나누었다. 대입을 앞두고 갈 길을 방황하고 있는 내게 목사님께서 제시한 비전 설정은 따뜻하면서도 합리적이라 생각하였다. 목사님께선 먼저 본인의 인생에서 가장 인상 깊은 일에 대해 내게 물으셨다. 그 당시, 나는 3가지 일이 떠올랐는데 공통으로 모두 누군가의 죽음과 관련 되어있다. 첫째는 2014년 4월 16일 세월호 침몰이다. 다들 잘 알겠지만, 세월호는 제주로 향하는 선박으로 전남 진도군 조도면 부근 병풍도 해상에서 침몰하였다. 그곳에는 교사와 학생 339명을 포함한 476명의 승객이 탑승하였으며 세월호 침몰로 인해 수많은 사상자가 발생하였다. 이를 기점으로 대한민국 사회는 정치, 문화, 교육 분야에 커다란 변화를 맞이하게 된다. 2024년, 올해 세월호 10주기에는 희생자 304명을 기리며 동시에 아직 시신이 수습되지 않은 5명도 얼른 돌아오기를 바라며 추모식을 진행하였다. 실제로 알고 지낸 이들은 아니지만, 비슷한 또래의 학생들의 아픔에 애통해하는 마음이 있었다. 둘째로는 고등학교 3학년 당시, 함께 공부하며 지냈던 친구의 안타까운 교통사고사이다. 우리는 고등학교 1학년 때 같은 반에서 만났다. 내가 재학하였던 충렬고등학교 특성상 재학생의 30% 정도만 대학 진학에 관심을 두고 공부를 했던 터라 야간 자율학습 시간에 함께 공부하는 친구들이 한 반에 10명 남짓이었다. 당시 반장이었던 나는 야간 자율학습 시간에 친구들과 함께 토론하며 공부하는 것을 주도하였고, 수학과 과학에 관심이 많은 친구와 함께 도와가며 공부했다. 우리는 그렇게 만나 함께 토론하고 공부하는 친구가 되었다. 특히 고등학교 2학년이 되고 다른 반을 배정받아 흩어졌지만, 우리는 교내 과학탐구 대회에 한 팀으로 참여하였다. 우리가 관심을 두고 연구한 주제는 '재생'이었는데, 재생하는 동물들의 특성을 가지고 절단된 도마뱀 꼬리를 재생하는 실험을 하였다. 우리는 서로의 집에서 플라나리아, 해삼, 도마뱀 등을 직접 기르며 과학 탐구심을 함양할 수 있었고 일방적인 주입식 교육에서 벗어나 우리의 관심사인 생명과학 분야를 연구에 접목해 탐구하였다. 이를 계기로 우리의 공통 관심 분야 생명과학 연구, 산업 분야에 대해 대학 진로를 함께 고민을 나누는 친구가 되었다. 그렇게 우리는 고등학교 3학년이 되었고 입시를 위해 각자 최선을 다하던 그 순간, 학교 선생님을 통해 친구가 교통사고로 죽었다는 소식을 듣게 된다. 함께 꿈을 나누던 친구의 죽음이 그 당시 나에겐 아주 크게 다가왔다. 장례 3일 차, 친구의 관이 이른 아침 학교에 도착했다. 당시 친구 가족의 비명처럼 느껴지는 절규에 마음이 너무 아팠다. 수백 명의 학생들이 친구를 배웅하며, 그렇게 친구를 보냈다. 매년 함께 공부했던 친구들과 함께 친구의 묘가 있는 밀양에 방문한다. 이쁘게 핀 꽃을 들고, 꼬질꼬질했던 학창 시절 이야기를 도란 피우고 말이다. 우리는 어느덧 스물여섯이 되었다. 취업하고, 대학원에 진학하여 이제 하나의 사회 구성원으로서 살아간다. 만약 살아 있다면 어떻게 지낼까 궁금하다가도 웃고 있던 친구 모습을 생각하면 아직 마음이 시리다. 마지막으로, 고등학교 3학년 때 돌아가신 외할아버지가 기억에 남는다. 할아버지께서는 오랜기간 뇌출혈로 거동이 불편하셨으며, 지병을 앓으시다 결국 하반신이 마비되어 휠체어를 타고 다니셨다. 외할아버지는 평생을 군인으로 나라를 지키셨기에, 전역 이후에도 할머니와 함께 나라에서 제공되는 군인연금을 받으며 생활하셨다. 그때 당시 할아버지께서 뇌출혈로 오랫동안 아프셨다. 이에 엄마를 비롯한 형제들이 본인을 낳고 길러 주신 부모님이 아프다는 것에 자녀로서 애통해하는 마음이 느껴졌다. 그렇게 할아버지께선 2017년에 생을 마감하셨고, 대전에 위치한 현충원에 묻히셨다. 나 또한 자녀로서 부모님의 슬픔을 직간접적으로 느꼈으며 동시에 할아버지께서 아프셨을 당시 중환자실에 함께 투병 생활을 하셨던 환우분들 그리고 그들의 가족들의 어려운 사정을 듣게 되었다. 할아버지와 함께 중환자실에서 지병을 앓고 계신 환우분들은 대부분 뇌에 이상이 생기신 중환자이셨다. 그러다 보니 건강 보험이 적용되지 않는 경우에 뇌 질환은 상당한 병원비용으로 발생하는 것에 대해 어린 나는 적지 않은 충격을 받았다. 죽음과 관련된 경험이 뇌리 쉽게 잊히지 않아 마음이 뜨거워지는 것을 통해 나의 비전은 인류의 건강한 삶에 기여하는 것으로 생각했다. 그렇게 나는 한동대학교에 진학하여 생명과학을 전공하였다. 2018년 수능 하루 전날, 지진으로 건물 외벽이 무너진 느헤미야 건물에서 글로벌리더십학부생 면접을 보았다. 한동대학교의 슬로건이자 고등학생인 내가 도전을 받았던 문구인 'Why Not Change The World?', 각자가 생각하는 World는 다를 수 있겠으나, 이미 나에겐 명확한 비전이 있다.

그렇게 궁극적으로 인류의 건강에 기여하고자 비전을 설정한 나는 내가 좋아하는 것, 주변에서 말해준 장점 등을 고려하여 식물 분야에서 유럽 대학원 진학을 통하여 내 뜻을 펼치고자 한다. 같은 전공의 친구들은 대부분 한국에서 대학원을 가거나 빨리 취업하는 경우가 허다하지만, 공백기 1년 3개월이란 기회비용을 감수하면서까지 해외 유학을 준비하는 이유가 있다면 뭘까? 그리고 그것이 가능하게 하는 것은 뭘까? 먼저 본질적인 이유에 관해 묻는다면 이렇게 답변하고 싶다. 자연과학 중 특히 식물에 관련된 연구와 산업 분야는 한국보다 해외에서 더욱 집중되고 있다는 것이다. 애초에 한국과 유럽의 기초과학 산업 성장 속도가 다를뿐더러, 해당 분야에 대한 일자리 창출 기회도 압도적으로 유럽이 많다. 그렇기에 해외 유학을 준비 중이며, 해외에서 거주하며 생활하는 것에 큰 어려움을 겪지 않는다는 것을 고려하여 나의 진로를 어렵지 않게 결정할 수 있었다. 하지만 굳게 마음을 먹었다고 해서 누군가 내 입에 떠먹여 주지 않는다. 내가 알아보고, 쓰고, 읽고 쟁취해야 하는 것이다. 그중에서도 특히 나는 돈을 강조하고 싶다. 내가 대학에 다니며 모아둔 돈이 없었다면, 해외 유학 비용을 듣고는 놀라 까무러칠 것이다. 하나님께서 우리를 위해 만들어 두신 에덴동산은 현실에 없다. 내가 살아 숨만 쉬어도 돈을 지불해야 할 판국에 유학하러 가려면, 사업을 하려면, 심지어 이 책을 쓰고 출판하는 것에도 철저히 돈과 기회비용이 지급된다. 앞서 좋아하는 것에 대해 이야기했다. 엄격히 말하면 돈이 없으면 내가 좋아하는 것을 시도도 못 한다. 글을 쓰는 것을 좋아해 책을 출판하고 싶은데, 표지 디자인이며 출판 비용이며 낼 돈이 없다면 책을 정상적으로 출판할 수 있을까? 또 음악 하는 것을 좋아해서 좋아하는 가수의 콘서트를 보러 가고 싶거나, 내가 좋아하는 음악을 하기 위해서 기타가 필요한데 돈이 없다면 내가 원하는 음악을 할 수 있을까? 가족과 어렵게 시간을 맞추어 휴가를 해외여행으로 갈 계획이 있으나 당장 먹고 지낼 돈이 없다면, 가족들과 좋은 시간을 보낼 수 있을까? 어렵다는 것이다. 막대한 부를 이루자는 것이 아니다. 온전한 내 삶을 살아 내기 위해서라도 지급되는 비용을 계산하여 미리 준비하자는 것이다. 그래서 돈에 관해 이야기를 하기 전에 온전한 나에 대해 이야기를 해보고자 한다. 당신은 무엇을 좋아하는가, 당신은 어떠한 장점이 있는가, 당신은 어떠한 비전이 있는가에 대해 말이다. 가격을 매길 수 없는 당신의 '가치'를 기록해 두는 것으로부터 우리는 돈에 종속되지 않을 것이며, 건강한 경제 습관을 들일 수 있을 것이다.

적용점

1. 당신은 무엇을 좋아하나요?

_____

_____

_____

_____

_____

_____

2. 당신은 어떤 장점을 가졌나요?

_____

_____

_____

_____

_____

_____

3. 당신은 어떤 비전을 가졌나요?

_____

_____

_____

_____

_____

_____

_____

시간이라는 재화

2018.03
20살, 신입생

제2화 시간이라는 재화

분주해 보이는 그들의 손등에는 숫자가 새겨져 있다. 이들에겐 시간이 없다. 걱정하는 시간조차 그들에겐 사치일 뿐, 과학의 발전으로 조작된 유전자를 보유한 채 태어난 그들은 25살에 노화가 멈춘다. 이후 단 1년이란 시간만이 그들에게 주어지며, 동시에 부여된 1년으로부터 시간이 1초씩 줄어들기 시작한다. 그렇다 그들의 손등에 적힌 숫자는 그들에게 남은 시간이다. 시간이 0이 되면 그들은 죽음에 이르기에 그들에게 시간은 곧 생명이다. 사람들은 음식을 사서 먹을 때, 대중교통을 탈 때에도 그들은 손등에 적힌 시간으로 계산한다. 그들의 시계는 고장 나지 않고 잔인하리만큼 오차 없이 1초씩 정확히 줄어든다. 그렇기에 시간 부자들은 영원히 살 수 있지만, 주인공 윌은 하루 벌어 하루 먹고 사는 하루살이 인생이다. 일을 마치고 돌아온 그는 근처 동네 술집을 향한다. 그곳에서 100년 부자 해밀턴을 만나지만, 동시에 그의 시간을 노리는 시간 도둑 포티스도 마주하게 된다. 포티스로부터 쫓기듯 도망쳐 해밀턴과 윌은 폐건물에서 밤을 지새우게 된다. 해밀턴이 윌에게 말한다.

"난 105살이지만, 누구나 죽기 마련이다. 25살의 모습으로 몸은 멀쩡해도 정신은 죽는다. 사람은 때가 되면 죽어야 한다."

"그게 불만인가? 너무 오래 살아서? 배부른 소리 말아라."

"정말 당신은 아무것도 모르는군. 소수의 영생을 위해 다수가 죽는다. 모두가 영원히 살면 땅이 부족하겠지, 왜 빈민가의 물가가 같은 날 폭등하겠나? 물가가 올라야 사람들이 계속 죽는다. 남의 시간을 뺏어야 만 내가 영원히 산다. 사실 시간은 충분하다. 아무도 일찍 죽을 필요가 없다."

 그렇게 대화하다 잠이 든 윌과 해밀턴, 아침이 되자 해밀턴은 잠이 깨고 아직 잠이 깨지 않은 윌에게 100년이 넘는 시간을 선물하고 떠난다. 그리고 해밀턴은 죽음을 맞이한다. 잠에서 깨어난 윌은 그가 어젯밤 본인에게 남긴 의미심장한 말과 선물 받은 100년이라는 시간이 신경이 쓰인다. 그것도 잠시, 윌은 그의 오랜 친구 보렐을 찾아가 10년을 그에게 준다. 고마움을 전하는 보렐을 뒤로한 채, 윌은 시간 1구역인 뉴 그리니치로 향한다. 그는 사회 구조가 불공평한 것에 분노로 가득 차 있다. 그도 그럴 것이 며칠 전 윌의 어머니는 집에 돌아가는 차비가 없어 길거리에서 초라한 죽음을 맞이했기 때문이다. 그렇게 그는 11구역, 8구역, 3구역을 지나 시간 1구역인 뉴 그리니치로 향한다. 그가 생각하는 뉴 그리니치 사람들은 빈민가의 시간을 갈취하여 영생하는 시간도둑일 뿐이다. 물가를 조정하여 인구수를 맞추고, 시간을 훔치는 뼛속까지 악랄한 시장주의 놈들이라 생각한다. 그렇게 도착한 뉴 그리니치에서 윌은 충격에 휩싸인다. 그들에게는 윌이 단 한 번도 느껴보지 못했던 여유와 사랑 그리고 가족이 있다. 그들의 대화 속에선 그가 우려했었던 빈민가 사람들을 약탈하는 내용은 온데간데 찾아볼 수 없다. 그들은 그저 먹고 마시며 주어진 인생을 즐길 뿐이다. 윌은 이에 환멸을 느끼며, 뉴 그리니치의 최고 권위에 도전한다. 그의 딸을 인질로 납치하여 빈민가로 향하여 불공정한 사회구조의 민낯을 그녀에게 낱낱이 보인다. 결국 윌은 뉴 그리니치의 최고권위로부터 100만 년이라는 시간을 빈민가 한복판에 흩뿌리며 영화는 끝이난다. 시간을 재화로 다룬 영화 '인타임'의 줄거리이다. 많은 꼬리 질문이 머릿속에 남는다. 모든 것이 시간으로 통용되는 세상이 있다면 나에게 남은 시간은 얼마일까, 그리고 남은 시간 동안 나는 무엇을 해야 할까. 나는 언제 길거리에서 죽을지 모르는 하루살이 인생인가, 아니면 시간으로부터 자유로운 인생인가. 내가 뽑는 말에는 여유, 가족과 사랑이 있는가 혹은 없는가. 다행히 시간은 우리 모두에게 철저히 공평한 재화이다. 누구에게나 하루는 24시간, 1,440분, 86,400초로 동일하게 흘러간다. 그렇다면 공평하게 주어진 시간을 우리는 어디에 어떻게 사용하는가에 대해서 이야기를 해봐야 할 것이다.

 2014년 10월 13일 서울의 한 건강검진센터에 박명순 씨가 방문한다. 일주일 전, 그녀가 응한 문진표를 토대로 건강검진 결과서가 그녀를 기다리고 있다. 의사는 53세가 된 박명순 씨에게 9개월밖에 남지 않았다는 의미심장한 말을 전하며 건강검진 결과서를 건넨다. 놀란 그녀는 의사에게 본인이 제대로 들은 것이 맞는지 확인하지만, 의사는 그녀에게 남은 시간을 다시금 읊어준다. 그녀는 마음을 가라앉히고 결과서를 펼친다. 평균 수명 기준으로 그녀에게 남은 시간은 32년, 그중 일하는 시간 10년, 자는 시간 9년 11개월, TV 및 스마트폰 보는 시간 4년 2개월, 그 외 혼자 보내는 시간 7년 2개월. 그렇다, 그녀가 선고받은 9개월은 그녀에게 남은 [가족과 함께 할] 시간이다. 우리에게 시간이라, 마치 공기처럼 당연하다고 느낄 수 있겠으나 그렇지 않다. 물론 누구에게나 동일한 시간이 주어지는 것은 맞다. 하지만 주어진 시간을 어떻게 사용하는지에 따라 미래의 내 삶이 달라진다. 가령 학창 시절 공부를 열심히 하여 좋은 대학에 진학한 사람은 좋은 직업을 가질 확률이 높다. 또 젊을 때 열심히 돈을 모은 사람은 큰 걱정 없이 노후를 보낼 확률이 높다. 마찬가지로 사람들에게 좋은 인상을 준 사람은 어렵거나 힘든 일에 처했을 때 주변으로부터 도움을 받을 확률이 높다. 이는 당연한 순리로, 이를 거스르면 삶을 바라볼 때 비관적이고 딱딱한 사람이 되며, 남의 노력과 결실을 부정한다. 비슷한 맥락으로 영화 '인타임'에서 이러한 인간의 속성을 적나라하게 표현하여 인상 깊었던 장면이 있는데, 윌의 친구 보렐의 이야기다. 복수를 품고 뉴 그리니치로 떠난 윌이 최고 권위에 맞서다 결국엔 시간을 다 뺏긴 채, 빈민가로 다시 돌아오게 된다. 그때 그는 본인이 10년이라는 시간을 선물했던 친구 보렐을 찾지만, 그는 이미 죽었다. 그에게는 귀여운 딸과 사랑스러운 아내가 있지만, 선물 받은 10년이라는 시간을 잘 활용하지 못하고 술과 유흥으로 허무하게 죽어버리고 만다. 그가 선물 받은 10년이라는 시간을 돈으로 환산해 보자. 평균적으로 요즘 아이스 아메리카노 시세가 5천 원인 것과 영화 속 커피의 가격이 4분인 것을 고려하면 영화에서 1분의 가치는 1,250원정도 해당한다. 그렇게 10년을 계산해보면 65억 원인 셈이다. 평생토록 단 한 달이란 시간도 저축해보지 못한 그에게 65억 원의 가치인 10년이라는 시간은 오히려 독이 된 것이었다. 보렐은 그저 단 한 순간의 실수로 비참한 최후를 맞이한 것일까? 나는 그가 단 한 순간의 실수로 이어진 죽음이라고 생각하지 않는다. 그는 살아생전 좋은 기회에 대한 준비를 전혀 하지 않았기에, 주어진 시간을 잘 활용하지 못하고 죽음을 맞이한 것은 어쩌면 당연한 결과이다. 그에게 무엇을 바라겠는가? 인간은 단 한 순간에 바뀌지 않는다. 내 삶과 생각을 바꾸기 위해선 정직한 시간이 필요하다.

 주변에 간혹 본인을 너무나 애처롭게 생각하는 이들이 있다. 그들은 항상 안될 이유를 찾고 다닌다. 교환학생 기간 중 만난 친구의 하소연을 빌리자면, 그 친구는 매달 집으로부터 지원받는 150만 원이라는 금액이 턱없이 부족하다고 느낀다. 동시에 어렸을 적 형편이 좋지 못했던 본인의 과거에 얽매여 늘 과거의 부정적인 면에 관해 이야기한다. 어떤 것을 비교하여 그리 부족함을 느끼는지 정확히 모르겠으나, 늘 본인의 환경을 부족하다고 생각하니 분명 좋은 환경에 있어도 좋은 것보다는 불편하고 힘든 것만 보인다. 동시에 주변이들에게 본인이 되지 않는 이유에 대해 그저 공감받길 원하며, 그렇게 딱딱하게 굳어진 편협한 사고로 삐딱한 말과 행동을 한다. 우리는 돈이 있었다면, 가정 형편이 조금 더 좋았더라면, 더 좋은 직장, 대학에 갔었다면 등 핑계 대기 급급하다. 왜 우리는 핑계를 댈까? 사람마다 핑계를 대는 여러 이유가 있겠으나, 본인의 마음을 지키기에 핑계를 대는 것이 가장 효율적인 방법일 것이다. 그렇게 '애초에 안돼'라고 치부해 버리는 것이 주어진 그 상황에서 내가 가장 상처를 덜 받는 느낌이 들기 때문이다. 마치 이것은 "자네는 저번 학기에 왜 학점이 낮았는가?"에 대한 답을 "학창 시절에 부모님께서 학원을 안 보내주셔서요"라고, 답변하는 꼴이다. 당신은 상처받기 싫어 늘 핑계로 가득 찬 삶인가, 아니면 부족하더라도 그걸 피하지 않고 직면하여 고군분투하는 삶인가. 결국 같은 기회가 찾아와도 그것을 발판 삼아 도약하는 이들은 후자에 속한다. 그 사람의 말과 눈을 보면 알 수 있다. 단 한 순간에 되는 것이 없다. 보렐에게 다시 기회가 주어진다면 결과는 다를까? 나는 그렇지 않다고 본다. 그가 살아온 시간, 그리고 그렇게 형성된 삶의 자세, 습관과 생각은 단 한 순간에 바뀌지 않는다. 시간을 들여서 서서히 바뀌어야 한다. 그러니 우리는 인생을 함부로 살 수 없다. 미래의 나를 위해, 가족을 위해서라도 말이다. 다시 돌아와 시간에 관해 이야기를 해보자. 변함없이 시간은 여전히 우리에게 공평히 주어진다. 상처받지 않으려 핑계를 댔던 근본적인 이유에 우리의 시간을 정직하게 써야 한다. 사람과의 관계가 문제인가? 그러면 사람과의 관계에 정직하게 시간을 써야 한다. 학업 성적이 좋지 않은가? 그렇다면 학업에 시간을 써야 할 것이다. 돈이 없는가? 정직하게 근로하여 소득을 발생시켜야 할 것이다. 이렇게 시간을 저축하면 습관이 생긴다. 되지 않는 이유에 직면하여 하나씩 극복할 때 채워지는 자존감은 깊으면서 단단히 내 마음에 뿌리내린다. 이는 겉으로 드러내 남에게 인정받지 않아도 허기지지 않는 마음이며 동시에 남의 노력과 결실을 존중할 수 있다. 돈을 잘 모으기 위해서도 그에 상응하는 노력의 시간이 필요하다. 돈을 모으는 습관을 처음에 잘 들여놔야 이후에 돈으로 고생하지 않기 때문이다. 우리는 습관을 지금 들여놔야 미래에 힘을 들이지 않고 꾸준히 건강한 경제생활을 할 수 있을 것이다. 그렇다면 우리는 어떤 삶의 습관과 자세의 시간을 저축해야 할까. 크게 3가지로 나누어 설명하고자 한다.

첫째, 돈의 의인화이다. 돈의 의인화라, 말 그대로 돈을 사람처럼 생각하는 것이다. 물론 돈은 사람이 아니기에 당신에게 이를 설득하기 위한 과학적 근거를 제시할 필요는 없을 것이다. 하지만 내가 말하고자 하는 바는, 돈을 하나의 인격을 가진 객체로 인지하자는 것이다. 우리 주변 관계를 잘 생각해 보자. 나를 함부로 대하는 사람과 나를 존중해주는 사람이 있다면 당연히 나의 마음은 나를 존중해주는 사람에게 열릴 것이다. 상대방도 그렇다는 것이다. 내가 상대를 존중하지 않는데 그에게 존중을 바라는 것은 역설이다. 그렇기에 주변인들에게 늘 좋은 평가를 듣는 이는 기본적으로 겸손한 자세로 상대의 말에 귀를 기울이는 사람일 것이다. 이번에는 주변 이들을 한번 생각해 보자. 누군가는 태어날 때부터 좋은 인상을 가지고 있어 사람과 관계하는 것에 능한 사람이 있다. 반면에 태어나기를 사람들과 교류하고 관계 맺는 것에 어려움을 겪는 사람이 있다. 하지만 이는 꾸준한 본인 관리와 노력이 있다면 충분히 사람들과 관계 속에서 매력적인 사람이 될 수 있을 것이다. 더 나아가 누군가와 친해지고 싶다면 그를 향한 나의 정당한 노력이 필요하다. 서로의 눈만 봐도 마음이 통하는 사이가 되고 싶다면 오랜 시간 동안 서로를 지켜보고, 투덕거리기도 하고, 쌓인 오해도 풀면서 관계를 쌓아야 할 것이다. 본인과 관계하고 있는 사람 중 함부로 생각하고, 말하고, 응대하는 사람이 있는가? 아마 없을 것이다. 설령 있더라도 결국 그는 당신에게 상처받고 떠날 것이다. 이는 사람 관계에 있어 너무나 일반적이고 타당한 사실이다. 우리는 주변에 소중한 사람을 대하듯 돈을 대해야 한다. 태어나기를 돈과 친하게 태어났다면 모를까, 대부분 일반적인 사람들은 돈과 친해지기 위해 먼저 시간을 내어야 할 것이다. 세상의 돈이 흘러가는 뉴스를 들여다보고, 내 돈이 어디로 새어 나갔는지 확인도 해보고, 돈이 있을 저축 상품도 관심을 두고 알아봐야 한다. 내게 출입 되는 돈을 기록하고, 자산을 꾸준히 늘려 나갈 방법에 대해 끊임없이 고민해야 한다. 기본적으로 돈에 조금이라도 관심을 두고 있어야, 물질적으로 여유를 누리고 싶은 마음도 타당해진다. 본인은 아무런 노력도 없이 주변 탓을 하는 건 오히려 열심히 살아가는 이들을 존중하지 못하는 태도일 것이다. 나의 경우엔 아침에 눈을 뜨면 전날 미국 증시 현황을 가장 먼저 살핀다. 보유한 주식 종목에서 눈여겨 볼 만한 뉴스가 있는지 확인하고 투자 원칙에 벗어난 종목이 있다면 수익, 손실 청산할 마지노선에 주문을 걸어둔다. 오전 시간에 한국 주식장이 개장되면 국내 증시 현황 뉴스를 살핀다. 달러, 엔 환율도 확인하여 환율이 싸질 때 미리 환전을 해놓거나 환율이 많이 올랐을 때는 환차익으로 수익을 실현한다. 이스라엘과 하마스 전쟁, 러시아 우크라이나 전쟁 등 최근 국제 정세를 파악하여 원자재 가격도 확인해 둔다. 금과 은, 달러는 자산의 5% 비율로 보유한다. 부동산 리츠, 채권 등에도 5% 자산을 분배해 두고, 암호화폐 비트코인 및 이더리움, 리플 등에도 5% 비율로 자산을 보유한다. 국가에서 청년들에게 제공하는 저축 상품, 지원금 등을 살피며, 수혜 조건이 되는 교내, 교외 장학금을 지원한다. 특히 대학생들에게 해외 교환학생, 방문학생, 인턴 등의 명목으로 지원하는 장학금과 제도를 잘 알아보고 돈을 들이지 않고 해외를 경험하는 경로도 파악한다. 이는 단순히 장학금을 받는 것이 아니라 기회비용을 생각하여 돈을 버는 구조로 인지하고 실행에 옮긴다. 이율이 낮은 대출상품을 비교하여 대출을 실행하고, 이율이 높은 금융상품에 대출한 돈을 보관한다. 돈에 관심이 많은 사람들의 통찰과 경험을 듣는 것으로 그치는 것이 아니라, 나에게 적용해서 실행에 옮긴다. 이처럼 나는 끊임없이 돈에 대해 고민하고 생각했다. 이 책을 쓴다고 끝이 아니라, 더욱 관심을 두고 큰 목표를 가지고 살아갈 것이다. 그러니 물질적 여유를 누리고 싶은 마음도 타당해지는 것이다. 하지만 내가 돈을 함부로 생각하고, 무례히 대한다면 분명히 돈은 나를 떠날 것이다. 돈을 함부로 생각한다는 것은 무엇일까? 바꿔 말하면, 사람 관계에서 누군가를 함부로 생각한다는 것은 무엇일까? 하나의 인격체로 존중하지 않고, 선입견을 품고 내 생각대로 그의 말과 행동을 이해하는 것일 것이다. 다시 바꿔 말하면, 돈의 속성을 존중하고 이해하지 않으면서 내 생각과 선입견을 품고 돈을 이해하는 것이다. 우리의 마음가짐이 딱딱하게 굳으면 안 된다. 말랑하게 유연한 사고를 하고, 돈의 속성을 이해하려고 노력해야 한다. 이는 돈을 잘 버는 사람들의 습관과 생각을 궁금해하는 마음으로부터 시작할 것이고, 이에 그치지 않고 실제로 행동으로 옮기고 본인을 점검하는 태도를 가져야 한다. 돈에 대한 선입견, 예를 들어 티끌 모아 티끌, 금수저, 흙수저와 같은 패배주의 마인드를 버려야 한다. 돈에 대한 부정적인 선입견을 버리고, 돈을 이해하기 위해서 본인을 먼저 내려놓아야 한다. 지금 당장 내가 할 수 있는 게 없다고, 아직 돈이 없기에 저축하고 투자하지 못한다고 말할 수 있다. 상황을 따지기 시작하면 끝도 없다. 지금 당장 연습해야 한다. 돈을 의인화하여 부정적인 선입견을 버리고 겸손한 마음을 갖고 돈을 알아가기 위해 시간을 써야 한다. 돈은 없을 수 있으나 우리에게는 공평하게 시간이 주어졌기 때문에 돈에 관해 공부하는 시간을 필히 가져야 한다. 오히려 돈이 없고, 시간이 있는 것이 훨씬 좋은 환경일 수 있다. 이러한 훈련을 거치지 않고 돈이 주어지면 돈을 함부로 쓸 수 있다. 마치 인타임 영화의 '보렐'처럼 말이다. 함부로 대할 수 있는 돈은 없다. 그러니 우리는 본격적인 경제활동을 하기 전 시간을 들여 돈을 의인화하는 연습을 해야 한다.

둘째 홀로서기이다. 우리는 사람과 돈으로부터 홀로 서야 한다. 토요일 밤, SNS 속 사람들은 친구들과 함께 즐겁게 지내고 있는데, 나만 집에서 아무도 없이 혼자 지내는 것이 외롭다는 생각이 드는가. 혹은 친구와 즐겁게 시간을 보내고, 가정에서 가족과 함께 시간을 보낼 때도 문득 외로움을 느끼는가. 외로움이라는 감정은 물리적으로 혼자 있을 때 느끼기도 하지만, 누군가와 함께 시간을 보내고 있음에도 우리는 종종 공허함과 불안함을 느낀다. 외로움이라는 감정은 인간이 느끼는 매우 자연스러운 현상이지만, 현대 사회에 접어들며 외로운 감정으로 인해 심리적 문제를 겪고 있는 사람들은 점차 많아지고 있다. 그렇다면 우리는 왜 외로움이라는 감정을 느끼는 것일까? 정신건강의학과 전문의 오은영 박사는 외로움을 느끼는 현상에 대해 이렇게 말한다. "원래 인간은 고독하고 외로운 존재이다. 인간은 태어나 최소 1년은 지나야 걷기 시작하는데, 이는 포유류 중에서도 운동 신경 발달이 가장 느린 편에 속한다. 이런 특성이 있는 인간은 생존을 위해 서로 협동하도록 진화했다. 그래서 인간이 혼자 있을 때 외롭다 못해 두려운 감정을 갖는 것이다. 외로움이라는 감정을 더 잘 느끼는 사람은 다른 사람과 관계를 맺으며 협동하였고, 이는 나약한 인류가 생존하기 위해 느껴야만 하는 감정이었을 것이다. 반면, 외로운 감정을 느끼지 못하는 사람은 홀로 예기치 못한 포식자를 만나거나 위험에 처했을 때 살아남기 어려웠을 것이다. 즉, 우리 조상의 유전자는 외로움에 반응하여 혼자가 아닌 여러 사람과 협력하여 살아남은 유전자이다. 그러니 우리가 느끼는 외로움은 지극히 자연스러운 현상이다" 그렇다면 어째서 인간은 누군가와 함께 있음에도 외롭다고 느끼는 것일까? 함께 있음에도 느껴지는 외로움은 원시 인류가 겪었던, 물리적으로 남들과 동떨어지는 일차원적인 외로움과는 다른 원인으로 생각된다. 흥미롭게도 자존감이 낮은 사람은 감정이나 고통을 조절하는 부분인 대뇌피질이 상대적으로 많이 활성화되어 있는데, 이는 그들의 뇌가 사회적 배제 즉 외로움에 더 민감하다는 사실을 보여준다. 예를 들어, 친구에게 전화를 달라는 연락을 남겼는데, 친구가 전화하지 않았다. 그럴 때 자존감이 낮은 사람은 친구가 나에게 상처를 줬다며, 혹은 더 이상 나에게 관심이 없다며 생각한다는 것이다. 단순히 바빠서 연락할 시간이 없을 수 있음에도 말이다. 이처럼 외로움에 대한 민감성은 사람들과 잘 어울리고 싶게 만들기 때문에 집단 내에서 조화를 이뤄내는 원동력이 되기도 하지만, 계속 부정적인 감정에 매몰되는 하강 나선을 만들 위험이 있다. 타인과 함께 있음에도 느껴지는 외로움은 타인의 행동이나 물리적 고립 등 외부로부터 오는 것이 아닌 내면의 자존감이 원인이 되어 발생한다는 것을 보여준다. 자존감은 왜 낮아지게 되는 것이며, 스스로 불안한 상태에서 맺은 관계는 나와 상대 둘 다 힘들어지는 것을 알면서도 왜 자꾸만 타인에게 의존하고 싶은 것일까. 이에 오은영 박사는 이렇게 설명한다. "유년 시절 아이들은 부모에게 의지하며 애착 행동을 하게 되는데, 이때 부모가 지속해서 거절하거나 귀찮아하면 아이는 절망감을 느끼고 더 이상 부모에게 다가가지 않는다. 또한 어린 나이에 맞지 않게 자기중심적인 엄마의 비위를 맞추고 술주정뱅이 아버지를 챙기고 어린 동생을 도맡아 보살피며 자란 아이는 인간에게 꼭 채워져야 하는 의존 욕구가 채워지지 않게 된다. 이 아이는 어른들에게 칭찬받기 위해, 사랑받기 위해, 살기 위해서 겉으로 보기에 독립적이고 의젓한 아이처럼 보이려고 행동하지만, 그것은 허구의 독립일 뿐이다" 이렇게 성장한 아이는 성인이 되어 그 결핍을 채우고 싶어 한다. 이처럼 내면의 자존감이라는 것은 유년 시절 가정환경에서 큰 영향을 받게 된다. 특히 부모로부터 동생을 챙기는 의젓한 모습을 강요받는 첫째일수록 타인과의 관계에서 의존적인 성향을 띨 확률이 높아지는 이유이다. 이런 성향이 심해지면 스스로 결정을 내리지 못하고 주변인들에게 끊임없이 묻고, 스스로 자신을 돌볼 수 없을 것 같은 두려움을 느끼며, 자신을 돌봐주고 지지하던 사람과 헤어지면 그러한 지지와 돌봄을 받기 위해 급히 다른 사람을 만나는 의존성 성격 장애로 발전하게 된다. 이에 더해 외로움을 자주 느끼는 사람일수록 자신도 모르는 사이 자존감을 떨어뜨리는 습관을 반복한다. 요즘은 휴대전화 하나로 여러 사람들과 소통하며 지낼 수 있다. 코로나가 심해지면서 언택트라는 단어도 탄생했을 만큼, SNS 속 많은 사람들과 관계를 유지한다. SNS 속 지인들이 예쁜 장소에 가서 좋은 옷을 입고 행복한 일상의 소식을 접했을 때, 나의 감정은 어떤가. SNS 계정을 돌연 탈퇴하고 싶다고 생각한 경험이 있는가. 19세에서 32세 사이의 2천 명을 대상으로 한 설문조사에 따르면, SNS를 더 많이 사용하는 젊은이일수록 그렇지 않은 젊은이에 비해 사회적으로 더 많이 고립되어 있다고 느낀다. 정확히 말해, 소셜미디어를 자주 사용하는 사람은 그렇지 않은 사람에 비해 3배나 더 많이 외로움을 느끼는 것으로 나타났다. 디지털 장비는 우리를 고개 숙이게 하고, 다른 사람과 시선을 마주치지 않고 사회적 교류를 하려는 인간의 본능적 욕구를 억압한다. 이는 나아가 자존감 상실로 이어지게 한다. 외로움을 달래고 일상을 공유하는 SNS를 단순히 자주 사용했다는 것만으로 3배나 더 외롭다고 느끼고 자존감이 낮아진다는 것이다. 원숭이든 인간이든 권력자는 매 순간 바뀌기 마련이다. 우두머리 수컷이 어떤 이유로든 새로운 수컷에게 우두머리 자리를 빼앗기게 되면, 원래 우두머리였던 수컷의 세로토닌 수치는 급격하게 감소하는 반면, 새로운 우두머리 수컷의 세로토닌 수치는 증가한다. 세로토닌 수치는 평온, 조화, 내면의 힘과 연관되어 있다. 원숭이와 인간은 기본적으로 위계질서 속에서 자신의 지위를 확실하게 굳히려 한다. 이 지위는 우리의 감정에 중대한 영향을 미친다. 다른 사람과 하는 경쟁에서 불리한 위치에 서게 될 때, 자신의 위치가 불리해지면 불안해지고, 기분도 가라앉는다. SNS에서 휴가 때 누가 가장 이국적인 곳으로 여행을 갔는지, 누가 친구가 가장 많은지, 누가 더 값비싼 가방을 들었는지를 놓고 경쟁한다. 그리고 그게 어떤 종류의 경쟁이었든 항상 누군가는 이기고, 누군가는 진다. 우리 조상은 고작 자기 부족 내 또래인 20~30명과 경쟁했지만, 오늘날은 SNS 속에서 불특정한 수십억 명과 경쟁을 한다. 실제로 젊은 성인 1,500명을 대상으로 조사한 결과, 조사 대상자 70%가 SNS 때문에 자기 몸을 더 부정적으로 인식한다고 답했으며, 20대를 대상으로 한 또 다른 연구에서는 절반 가까이 SNS 때문에 자신이 매력적이지 않다고 생각하게 되었다고 밝혔다. 이러한 환경은 사람을 자존감 낮은 상태로 만들어버리며, 이에 따라 타인과의 관계에서 의존적으로 변해버린다. 의존적인 사람은 관계의 질이 나쁠 수밖에 없으며, 그 관계에서 외로움을 더 자주 느끼게 된다. 다시 돌아와서, 인간은 기본적으로 외로운 존재임을 받아들여야 한다. 인간은 외롭기 때문에 협력하고 연대하며 사회를 이뤄 살아갈 수 있었다. 외로움을 느끼는 현상 자체는 비정상이 아니다. 다만, 타인에게 의존하는 성향이나 자존감이 낮아지는 감정 상태를 악화시키지 않도록 스스로 외로움을 해결해 나갈 수 있는 방법을 찾아야 한다. 어린 시절 애착 관계의 경험과 상관없이 스스로 자존감을 높이기 위한 노력이 필요하다. 자신을 소중히 여기는 마음을 가지는 것부터 시작해, 자신이 좋아하는 취미 활동이나 운동을 통해 성취감을 느끼는 것이 좋다. SNS 사용을 줄이고 오프라인에서의 교류를 늘려야 한다. 디지털 장비에 의존하는 것보다 직접 사람들과 눈을 마주치며 대화하는 것이 사회적 욕구를 충족시킬 수 있다. 명상이나 자기반성을 통해 자기 내면을 들여다보는 시간을 갖는 것이 중요하다. 자신의 감정을 이해하고, 현재의 상태를 수용하는 것이 외로움을 극복하는 데 큰 도움이 된다. 결론적으로, 외로움은 인간이 생존을 위해 진화하면서 얻은 자연스러운 감정이다. 이 감정을 부정하지 말고, 이를 극복하고 관리하는 방법을 찾아가는 것이 중요하다. 현대 사회에서의 외로움은 단순히 혼자 있는 것이 아니라, 자신을 소중히 여기지 않거나 타인과의 비교에서 오는 자존감 하락에서 비롯되기 때문에, 자신을 사랑하고 자존감을 높이는 노력이 필요하다. 그렇기에 우리는 관계에 있어 홀로서야 한다. 생명과학을 전공하며 신기하게 여긴 동물이 있다면 새우나 가재, 게와 같은 갑각류일 것이다. 인간은 척추동물이라 겉은 말랑한 피부로 이루어져 있고, 안에 단단한 뼈가 있다. 하지만 갑각류는 척추동물과 달리 껍질이 단단하고 안이 물렁물렁한 장기로 이루어져 있다. 그렇다면 갑각류는 어떻게 성장하는 걸까? 그렇다 허물을 벗는 탈피 과정을 거친다. 탈피 과정에서는 아무리 겉이 딱딱하고 힘이 센 갑각류라 할지라도 허물을 벗고 나면 겉이 말랑말랑해져서 누구에게나 잡아먹히기 쉽고 상처받기 가장 쉬운 상태가 된다. 하지만, 이 과정을 거치면 갑각류는 더욱 단단한 껍질이 몸을 감싸 더욱 안전하게 자신을 보호할 수 있는 성체가 된다. 갑각류가 성장하는 때는 오직 가장 약해져 있는 바로 그 순간이라는 것이다. 인간의 몸은 척추동물이지만, 어쩌면 인간의 마음은 갑각류와 비슷하지 않을까? 어떤 것으로부터 상처받지 않는 강한 마음이 있다면 좋겠지만, 그렇게 되기까지 마음이 찢어지게 상처받는 순간을 지나야 할 것이다. 안타깝게도 우리가 살아갈 세상은 우리에게 그리 친절하지 않을 것이다. 사람으로부터 상처를 받을 것이고, 사회로부터 상처받을 것이다. 이에 우리는 무언가를 의지하는 것으로 안정감을 느낀다. 의지의 대상은 너무나 다양한데, 사람이 될 수도 있을 것이고 몸에 좋지 못한 습관이 될 수도 있을 것이다. 내 마음을 보호받고 싶어 무언가를 의지하지만, 우리에겐 철저한 독립이 필요하다. 부모로부터 경제적 독립에 대해 생각하지 않으면 우린 돈을 모으고 투자하는 것에 대해 필요성을 느끼지 못할 가능성이 높다. 그렇게 유동적인 생각을 해야 할 시기에 부모의 지원만 받게 될 시 편한 것에 길들여지고 우리의 사고가 딱딱하게 굳어 캥거루족이 되는 것이다. 하지만 앞으로 우리가 살아갈 인생에서 부모의 지원을 받을 수 있는 날은 그리 많이 남지 않았다. 오히려 나를 길러 주신 부모를 부양해야 할 것이며, 자녀를 보살펴야 할 부모가 되어 있을 것이다. 꽃길만 밟고 편하게 살아왔다면 책임감을 느낄 그 순간에도 의지의 대상을 찾고 있을 것이다. 그것은 나와 우리를 위해 좋은 방법이 아니다. 누군가는 품어야 하고, 그것이 나라는 것을 잊지 말자. 오롯이 홀로 서게 되면 무게중심이 나의 안에 자리 잡혀 있을 것이다. 무게중심이 본인 안에 있지 않고, 밖에 있다면 늘 주변으로부터 영향을 받는 삶을 살 것이다. 그것이 본인에게 좋든, 그렇지 아니하든 주변으로부터 너무 많은 영향을 받으면 본인의 무게중심을 잃기 쉽다. 왜냐하면 우리의 사고 끝에는 소비라는 행동이 이어지기 때문이다. 무엇을 먹을지, 무엇을 입을지, 어느 곳에 놀러 갈지 등 우리의 사고의 주체가 나에게 있지 않은 채 소비하게 되면 돈을 쓰더라도 만족스럽지 못할 것이다. 이처럼 우리는 더욱 단단히 성장할 나를 믿으며 오롯이 홀로서는 연습을 해야 한다.

관계로부터 홀로 섰다면, 우리는 돈으로부터 홀로 서야 한다. 최근 르완다에 자원봉사를 다녀온 친구가 건넨 질문이 있다. '행복의 기준은 무엇인가?'. 그는 전기도 물도 잘 나오지 않는 열악한 현지에서 그들의 삶이 조금이라도 편안해지도록 기술과 창업 모델을 알려주는 봉사를 진행했다. 분명 르완다에 방문하기 전까지 그들의 삶을 개혁시킬 수 있을 것으로 생각했으나, 직접 방문한 그곳은 그의 예상과 전혀 달랐다. 비록 본인이 생각하기엔 사람이 살아가기에 너무나 열악한 환경이지만 그들의 삶에는 행복이 있었기 때문이다. 그들의 행복은 기술의 발전에 있지 않은데 과연 우리가 그곳에 기술을 전파하는 것이 맞을지 돌아보게 되며 행복의 기준이 무엇이냐는 질문을 나에게 건넨 것이다. 살아가면서 행복의 기준은 순간마다 바뀔 것이다. 어느 순간에는 사람과의 관계가 될 수도 있고 어느 순간에는 내가 성취해온 결과물이 될 수도 있을 것이다. 행복을 누린다는 것, 그 자체가 노하우다. 어떤 상황에서도 행복을 느끼고 감사할 수 있다는 것이 실력이다. 물질로부터 절대적으로 행복을 얻는다면 상대적으로 물질이 없으면 불행하다고 느낄 것이다. 대개 우리의 행복은 소비로부터 누리는 삶에서 우러나오지만, 그렇기에 더욱 우리는 돈으로부터 홀로 서는 연습이 필요하다. 행복을 돈으로 평가하기엔 돈은 너무 상대적이기 때문이다. 있다 가도 없는 것이, 없다 가도 있는 것이 돈이라고 하지 않았는가? 좋은 곳에 돈을 소비하는 것에 행복을 누리는 연습을 해야 한다. 열심히 돈을 저축하고 투자하여도 돈을 좋은 마음으로 소비하지 못한다면, 다르게 말해 돈으로부터 홀로서기가 되지 않는다면 항상 돈에 종속된 삶을 살아갈 것이다. 돈이 목적이 되는 순간, 우리는 돈에서 벗어날 수 없다. 돈은 철저히 수단으로 사용되어야 한다. 내 행복의 기준은 돈에 의해 결정되지 않는다. 왜냐하면 돈으로 나의 행복을 살 수 없기 때문이다. 돈을 좋은 곳에 사용할 마음을 누리는 연습이 필요하다. 내가 가진 돈에서 마음을 내어 주변에 도움이 필요한 곳에 후원하는 것도 한 가지 방법일 것이다. 주변 이들에게 근사한 밥 한 끼를 대접하며 우리의 일상을 서로 나누는 자리를 마련하는 것도 좋은 방법이다. 큰돈을 소비하는 것으로 우리의 마음을 채우지 말고 좋은 마음을 소비하는 연습을 하자. 건강한 습관을 들이는 것은 우리가 살아가면서 되돌아볼 지표가 될 것이다. 왜냐하면 세상의 대부분은 돈으로 움직이기 때문이다. 세상이 은연 보여주는 돈의 소비 기준을 따라가면 우리는 불행해진다. SNS에는 항상 화려하고 이쁘고 멋진 사진만 올라온다. 매일 해외여행을 다니고, 비싼 음식과 호화로운 호텔 그것이 맞는 삶인 것처럼 사람들은 좋아요와 댓글을 단다. 그에 비해 볼품없는 내 삶이 싫어지고, 그렇게 보이고 싶다는 마음에 없는 상황에서도 욕심을 내서 그들처럼 따라 살아간다. 이뿐만 아니라 사회는 철저하게 나의 학벌과 스펙을 평가하여 나의 몸값이 매겨진다. 신물이 나지만 결국 우리는 적응하며 살아야 할 것이다. 우리가 세상의 시선과 트렌드에 휩쓸리지 않고 오롯이 서 있으려면 돈의 소비하는 건강한 마음을 잘 정리해야 할 것이다. 건강한 습관을 지니게 되면, 돈은 나를 보호하는 장치가 된다. 나의 주관이 생겨서 분별하는 눈을 가질 수 있을 것이다.

셋째로 나를 판매하는 능력이다. 단순히 취업시장에서 좋은 기업에 들어가자는 것이 아니다. 회사에서 매겨진 값으로 우리의 가치를 매기지 말자. 우리는 회사, 학교, 인맥의 도움 없이 혼자서 수익을 창출할 수 있어야 한다. 물론 회사, 학교, 인맥이 우리의 삶을 어느 정도 보장해 주지만, 본질적으로 그것에 종속되어 버리면 우리는 정체된다. 끊임없이 나를 탐구하여 내가 가진 능력과 경험 등을 판매할 능력을 갖추어야 한다. 나를 판매하기 위해선 몸값을 높여야 할 것이며 다른 이들과의 차별성 또한 있어야 할 것이다. 동시에 나의 가치를 남에게 설득할 수 있는 능력도 요구될 것이다. 나를 판매하는 능력을 대체할 적절한 단어가 떠오르진 않으나, 직업에 접목해 보니 '세일즈맨'이 떠올랐다. 세일즈맨이란 소비자를 대상으로 판매하는 물건이 살 만한 가치가 있다는 것을 설득하는 사람이다. 이를 위해 세일즈맨은 판매하고자 하는 물건의 가치를 알아볼 안목이 필요할 것이며 동시에 수요를 파악해야 할 것이다. 그리고 최종적으로 가치에 환산되는 가격을 예상하고 마진을 계산하여 수익을 남긴다. 종합적으로 세일즈맨에게 요구되는 능력은 돈을 모으고자 하는 우리가 필수적으로 지녀야 할 자세다. 이러한 사고방식이 익숙하지 않을 수 있지만 쉽게 우리의 삶을 적용해 보자면, 우리의 사고의 틀에 돈의 관점을 추가하는 것이다. 모든 영역에서 돈을 적용해 보는 것이다. 돈의 관점을 우리 사고에 접목하는 훈련을 하기 가장 좋은 것은 식당의 마진을 계산하는 것이다. 우리는 매일 수많은 맛집을 찾아다니기 때문에, 이왕 방문한 식당에서 맛을 평가하는 것에 그치는 것이 아닌 돈의 관점으로 매장을 분석해 보는 연습하는 것이다. 왜 다른 집과 차별되어 있는지 혹은 얼마의 이윤이 남을지에 대해서 머리로 빠르게 계산하는 것이다. 이를 통해 우리는 단순히 계산 능력 향상에 그치는 것이 아니라 돈의 흐름을 읽을 수 있을 것이다. 상품과 서비스를 판매하는 사장님과 그러한 서비스를 이용하는 손님의 입장으로 나누어 음식점을 분석한다.

먼저 사장님의 관점에서 이야기를 해보자. 파스타집을 운영하는 사장님은 과연 얼마의 이윤을 남길까? 이를 이해하기 위해선 음식의 원가율을 계산해야 할 것이다. 알리오 올레오 1인분을 만들기 위해 필요한 재료는 이러하다. 마늘 기름 40g, 다진 마늘 3g, 페페론치노 3g, 베트남 고추 2g, 스파게티 면 150g, 바질 6g, 파마산 치즈 3g이 재료로 들어간다. 구매 단위별 재료 가격을 계산한다. 예를 들자면, 1,000g의 통마늘을 8,500원에 산다. 통마늘 1g에 8.5원이며 1인분에 50g이니 425원이 원가로 계산된다. 이렇게 원가를 계산하면 마늘 기름 146원, 다진 마늘 20원, 페페론치노 60원, 베트남 고추 60원, 스파게티 면 402원, 바질 125원, 파마산 치즈 60원으로 계산되며 육수 등 추가 재료를 계산하면 재료 원가가 총 873원이 된다. 8,000원에 알리오 올레오가 판매된다면 대략 11%에 해당한다. 재료 원가를 계산했다면 식당 유지비용에 대해서도 생각해야 할 것이다. 한 달 동안 식당을 운영하는 비용으로 월세, 전기세, 수도세, 화재 보험비용 등이 있으며 아르바이트를 쓴다면 시급 계산도 필요하다. 그뿐만 아니라 배달매장이라면 포장 용기, 배달 팁, 일회용 수저, 리뷰이벤트 등 다양한 것을 고려해야 한다. 이처럼 내가 매장에서 이용하는 모든 개별 서비스에 돈의 가치를 매겨보는 것이다. 소비자의 입장에서 당연하게 누렸던 서비스에 가치를 매기기 시작하면 판매자의 입장에서 가져가는 파이가 작아질 수밖에 없다. 우리는 돈의 관점에서 사고하는 연습을 통하여 '손님이 이렇게 많으니, 사장님은 부자일 거야'라는 단순한 명제로부터 현실적으로 세상을 바라볼 안목을 기를 수 있다.

 사장님의 입장에서 먼저 생각해 보았으니, 이제는 손님의 입장으로 상권과 매장을 분석하는 연습을 한다. 포항 북구 영일대에 위치한 '웃쿠리'에 방문했을 때 분석한 내용이다. 웃쿠리에서 판매하는 메뉴는 로스카츠 13,000원 히레카츠 14,000원 특로스카츠 16,000원으로 이루어져 있으며 대략 12명 정도 식사를 할 수 있는 크기의 매장이다. 총 4명의 직원이 일을 하고 있으며, 보아하니 3명은 가족이고 1명만 알바생을 쓰는 듯하다. 11:30분에 점심 영업으로 장사를 시작하며 평일에도 대기가 있을 정도이다. 돈까스 세트에 올라오는 구성으로는 장국과 샐러드 그리고 밑반찬이 있다. 밑반찬은 대량으로 구비를 했을 것이고 장국과 샐러드를 오픈하기 전 미리 세팅했을 것이다. 따라서 손님이 주문하는 순간 미리미리 준비해 둔 고기를 튀김 옷을 입혀 튀긴다. 대략 3분을 기다리면 첫 손님이 식사할 수 있다. 손님들은 보통 20분 정도 식사를 하니 피크시간 기준으로 12좌석을 한 시간 돌리면 30명 정도이다. 영업시간은 하루 총 8시간이며 피크시간은 점심 저녁으로, 도합 3시간으로 계산하면 하루 120명 정도가 식사할 것이다. 메뉴는 히레카츠 기준으로 14,000원이며 120인분을 계산하면 1,680,000원이다. 주 6일, 한 달 24일로 계산 시 40,320,000원 그중 원가율은 대략 30%로 12,090,000원, 정직원 2명 3시간 파트타임 알바 2명 9,600,000원 포항 임차료 30평

기준 2,500,000원 전기, 수도, 가스 관리비 등 1,800,000원 인터넷 사무 보조비 240,000원 세금 1,500,000원을 제하면 12,590,000이 남는다. 실제와 비교하면 고려하지 못한 것이 있을 것이라 가격의 차이는 분명히 있을 것이다. 하지만 이런 식으로 돈이 어디에 사용되고, 마진이 얼마나 남는지를 철저하게 계산하고 따져서 돈의 흐름을 읽는 연습을 하자는 것이다. 이처럼 돈의 흐름을 읽는 연습을 하다 보면, 내 삶 속에서 당연하게 여겨졌던 것들에 가치를 부여할 수 있다. 또한 내가 가진 능력과 경험에 가치를 매기는 사고로 이어진다.

이러한 사고의 전환은 매우 중요하면서도 깨닫기까지 꽤 많은 시간이 소비된다. 왜냐하면 자유경제 시장에서 평생을 소비자의 포지션에서만 살아왔던 이들에게 생산력을 요구하는 판매자가 되어보자는 발상의 전환은 우리에게 이질감이 들 뿐 아니라 필요성이 느껴지지 않기 때문이다. 하지만 기성세대와 달리 우리에게 생산력은 필수적인 과제다. 예·적금의 이자가 20%에 달했던 기성세대는 열심히 일하여 성실하게 저축하면 희망이 보이던 세대였다. 자녀들을 교육할 수 있고, 차를 살 수 있고, 안전한 집을 보유할 수 있었다. 따라서 부모님들은 자녀가 안정적인 공무원이 되기를 바란다. 하지만 직장 월급에 의존하며 살기에는 세상이 너무나 바뀌었다. 예·적금 이자 2%, 청년들에게 한시적으로 제공하는 적금 상품의 경우 7%이다. 나는 최근 청년희망적금 만기로 100만 원가량의 이자를 받았다. 동시에 청년도약계좌를 개설하여 2029년 대략 800만 원가량의 이자를 받을 것이다. 하지만 1,000만 원 채 안 되는 돈으로 청년들은 희망이 생겼는가? 혹은 청년들이 도약할 수 있는가? 아니라는 것이다. 쉬는 청년 70만 명에 육박하는 이 시대에 부동산 가격은 끝없이 치솟고 있다. 2024년 1분기 기준으로 출산율 0.7, 경제활동이 가능한 세대는 점점 나이가 들고 있다. 저출산과 고령화로 이어지면서 국민연금에 대한 우려도 커지고 있다. 1990년생부터는 국민연금을 한 푼도 못 받게 된다는 경고를 다들 들어봤을 것이다. 2055년에는 국민연금 기금이 완전히 소진되어 이 해 만 65세가 되는 90년생부터는 평생 연금을 내기만 하고 한 푼도 못 돌려받을 수 있다는 그런 경고이다. 성실히 세금을 납부한 자의 노후는 나라에서 책임을 갖고 보호해 주었다. 하지만 이제는 국민연금 기금이 없으니, 국민의 세금으로 그것을 충당하여 보급한다고 한다. 젊어서 국민의 4대 의무를 성실히 지켰음에도 불구하고 나이가 든 나를 부양하고 보호해 주지 못할 나라에서 살고 있다는 생각이 든다. 근본적인 문제를 해결하는 것이 아닌 서로의 잘잘못을 따지고 있는 정치인, 여야 할 것 없이 표퓰리즘으로 변질되어 올바른 정치가 이루어지지 않고 있다. 외교는 어떠한가? 서울과 제주에 수많은 부동산을 중국인들이 매입하고 있다. 그뿐만 아니라 대한민국의 최첨단 기술이 중국으로 기술 유출되고 있다. 집 밖에 칼 든 강도가 있는데 엄마 아빠 싸우고 있고, 부모와 자식이 싸우고 있고, 자녀끼리 싸우고 있는 꼴이다. 우리는 경각심을 가질 필요성이 있다. 이러한 현실이 너무나 안타깝고 비통한 마음이 든다. 이전에는 전혀 이해가 되지 않았던 비혼주의와 욜로족, 딩크족들이었지만 결국 사회문제로 인해 파생되어 생겨난 가정의 한 형태일 뿐이다. 우리는 이러한 현실에 어떠한 마음을 가지고 살아가야 하는가. 내가 강조하고 싶은 것은 자신의 생산능력을 극대화하자는 것이다. 나라와 학교와 인맥에 구애받지 않는 나의 능력을 키우므로 이러한 현실에 대응하자는 것이다. 나를 보호해 줄 기관과 제도는 점점 희미해질 가능성이 매우 다분하다. 발 빠르게 대응하여 나의 능력과 경험으로 수입의 파이프라인을 늘려야 한다. 내게 주어진 여건, 능력을 끊임없이 탐구하여 그것을 돈으로 환산할 방법을 개척하는 것이 중요하다. 가볍게 예시를 들어보자면, 중고 옷을 판매할 때 본인은 어떤 판매자인가? 갑인가, 을인가? 철저히 돈을 남기겠다는 관점으로 판매한다면 본인은 갑이 되어야 할 것이다. 갑의 위치를 선점하기 위해선 본인이 판매하고자 하는 상품의 가치를 구매자에게 어필을 잘하는 것이 중요하다. 그러기 위해선 본인의 상품에 대해 탐구해야 하며, 다른 비슷한 상품과 어떤 차이가 있는지에 대해서도 명확히 꿰뚫고 있어야 할 것이다. 구매자의 니즈가 무엇인지 예측하여 그들의 가려운 곳을 시원하게 긁어줘야 판매가 이루어질 것이다. 그래야 상품이 넘치고 넘치는 중고 물품 거래 플랫폼에서 내 상품의 값어치가 높게 책정될 것이다. 수요자와 공급자가 시장에서 만나 자유로운 경쟁을 통하여 경제활동을 영위해 나가는 세상이다. 나의 상품, 능력을 극대화하여 수요자의 니즈를 파악하여 상품화하는 것이 중요하다. 가벼운 예시로 중고 상품에 관해서 이야기했지만, 본인이 갖고 있는 능력, 경험, 생각을 남에게 팔아보는 연습이 매우 중요하다. 나는 필히 직장에 들어가기 전 이러한 과정을 거치는 것이 중요하다고 생각한다. 하지만 과연 얼마나 많은 사람이 이 과정을 거치겠는가? 대학에 다니면서 우리는 전공역량을 기르기 위해 훈련된다. 졸업하자마자 취업하기 위해 방학 때마다 인턴과 공모전에 참여한다. 그렇게 나의 마음을 돌아볼 시간도 없이 직장에 들어오면 현실에서 월급에 적응하게 되고 복지에 적응하게 된다. 직장은 나의 삶을 걱정 없이 살아갈 수 있도록 하지만 결국 나를 정체하게 만든다. 직장에 종속되어 나의 생산능력을 더욱 발휘하지 못하고, 그렇게 30~40년을 직장에다가 몸담고 있다가 은퇴하여 새로운 삶을 시작한다. 내가 어떤 능력이 있고, 어떤 경험이 있는지를 되돌아보면 전부 직장 안에서 경험한 것뿐이다. 온전한 나의 삶은 이미 잃어버린 지 오래다. 그렇게 자녀가 커가는 것만 보며 노후를 보낸다. 물론 직장을 다니면서 충분히 병행할 수 있다. 어차피 할 사람은 어떤 환경에서도 다 할 것이기에 문제가 되지 않으나, 나를 들여다보지도 않은 채 주변의 기준에 의해 스트레스를 받으며 사는 것에는 큰 문제가 있다. 온전한 나의 삶과 일은 철저하게 분리되어야 한다. 그리고 나의 삶에서 직장, 인맥, 학교의 도움을 받아서 우리가 돈을 버는 것 말고 실제로 나의 능력을 자유롭게 팔아서 이윤을 남기는 연습이 필요하다. 당신은 어떤 것을 얼마에 팔 것인가? 그리고 그것을 어떻게 설득할 것인가?

누군가에게 팔 수 있는 능력이 나에게 있는가, 일단 그것부터 알아보아야 할 것이다. 사실 나는 전문적으로 어떤 일을 하는 것도 아니고 무언가를 특출하게 잘하는 것도 없다. 하지만 이것저것 도전해 봤던 것이 취미가 되었고, 누군가에게 내 취미를 입문시킬 정도의 관심과 노력은 분명히 있다고 생각했다. 그렇게 나는 기타 강의, 투자 강의, 중고등학생 과외 등을 통하여 돈을 벌었다. 고등학생이 되면서 교회 동생에게 기타를 가르쳐 주었다. 돈을 받진 않았지만, 동생이 어쿠스틱 기타에 잘 입문할 수 있도록 배우는 사람의 입장에서 수업을 진행하려고 노력했다. 대학에 오면서 본격적으로 기타 세션을 진행했다. 학기마다 한두 명의 친구들이 문의한 기타 세션에 흔쾌히 입문 세션을 시작했다. 대부분 기타가 없었기에 내가 치지 않는 기타를 빌려주고, 일주일에 2번 수업을 진행하였다. 방학에는 교회 찬양팀에서 악기를 배우고 싶은 분들을 모집하여 다양한 악기를 배울 수 있는 세션을 줌으로 진행하였다. 기타를 가르치는 것에는 돈을 받지 않았다. 대부분 기타를 치며 찬양하고 싶다는 친구들이었기 때문이다. 하지만 기타를 가르치면서 누군가에게 무언가를 알려주는 것에 대한 흥미를 느끼기 시작했다. 동시에 사람들에게 제공되는 커리큘럼을 체계화시키는 등 가르치는 사람에게 필요한 자질에 대한 연구를 시작했다. 초등, 중등, 고등 12년 주입식 교육과정을 지나 대학 4년 과정에도 늘 듣고, 쓰고, 배우는 포지션에만 있다 보니 무언가를 가르치는 것에 처음에는 이질감을 느꼈다. 나의 취미인 기타를 누군가에게 가르치면서 상대가 이해할 수 있도록 어떻게 말을 쉽게 전달할지, 동기부여를 어떻게 끌어낼지에 대해 사고하는 연습을 했다. 이러한 사고를 훈련하며 체득한 것은 중고등학생들을 대상으로 수학, 과학 과목에 과외를 했을 때 큰 강점으로 발휘했다. 20살 3월 대학에 오기 전 부산에서 과외를 시작했다. 처음 과외를 맡게 된 친구는 중3, 고1이었다. 고등학생은 수학과 과학을 가르쳤으며 중학생은 모든 과목을 가르쳤다. 당시 나도 입시를 끝낸지 얼마 지나지 않아 커리큘럼을 구성하는 것에 큰 어려움은 없었다. 두 학생 모두 성적이 낮은 편에 속했기에 이들은 먼저 꾸준히 공부하는 습관을 들이는 것이 중요하다고 생각했다. 공부하며 큰 도움을 받았던 휴대용 타이머를 사용하는 방법을 학생들에게 알려줬고, 매일 공부량을 보고 체크하고 시켰다. 중학교 3학년과 고등학교 1학년이 배우는 수학과 과학의 난이도는 기초 개념에 대한 이해와 문제를 반복적으로 푸는 연습을 하면 충분히 성적을 끌어올릴 수 있다고 생각했다. 그렇게 학교 중간고사를 치고 두 학생 모두 이전 성적에 비해 눈에 띈 발전이 있었으며 이러한 성취를 통하여 공부를 대하는 태도가 달라지는 것을 보았다. 이후 부산 기장 산업단지에서 산업기능요원으로 군복무를 수행하였는데, 당시 회사에서 만난 직원분들의 자녀들을 대상으로도 과외를 하였다. 그렇게 1년이 넘는 시간 동안 국어, 영어, 수학, 과학을 가르쳤으며 성적과 학업성취도에서 눈에 띄게 성장한 모습을 볼 수 있었다. 사춘기 시절의 자녀는 본인의 성적과 학업에 대한 관심도를 부모님에게 공유하는 것을 꺼리지만 부모님은 자녀의 상황에 대해 누구보다 자세히 알고 싶어하는 마음을 잘 알게 되었다. 이에 학부모님께도 과외선생으로서 어떻게 대해야 할지에 대해서 학습하는 계기가 되었으며, 학부모님께 매달 과외 진행 상황을 보고하는 체계를 도입하여 학부모들의 만족도를 높일 수 있었다. 이러한 시스템을 구체화해서 포트폴리오를 만들었으며 과외 구직 사이트에 이를 공유하여 학생들을 모집하였다. 그 당시 10명이 훌쩍 넘는 학부모들에게 연락을 받았으며, 이에 나의 몸값이 크게 뛰었다. 내가 가르치는 수업의 차별화된 부분은 부모님께 매달 송부한 보고서였다. 매일 학생들이 공부를 한 시간을 도표로 제작하였고, 성과와 다음달 계획까지 체계적으로 구성한 보고서를 만들었다. 이를 통하여 학부모가 자녀의 공부량을 매달 확인할 수 있었으며, 이는 자녀가 공부에 집중할 수 있는 환경이 적절히 제공되는지 해당 보고서를 통해 부모님이 점검할 수 있었다. 이전에 가르쳤던 학생들의 성적표를 동의 하에 구했고, 이러한 과외

시스템을 통하여 전후 성적변화를 포트폴리오에 추가하였다. 이렇게 나만의 특별한 포트폴리오를 과외구직 사이트에 적극적으로 홍보하였고, 학부모들의 반응은 폭발적이었다. 포항 남구, 북구 할 것 없이 중 고등학생 학부모들은 과외 상담 순번을 기다리며 날짜를 정하여 미팅했다. 미팅 당시 내가 학부모들에게 제시한 조건이 있었다. 나의 과외 세션 시스템으로 3개월 동안 진행하였는데, 학생의 의지가 부족하면 과외를 진행하지 않겠다는 전제를 걸었다. 그렇게 나는 21년도 기준 시급 4만 원을 받는 과외선생이 되었다. 그뿐만 아니라 돈에 관심이 많았기에 소비 습관, 저축 및 투자 관련한 세션도 개인적으로 진행했으며, 대학생이 혜택받을 수 있는 교내, 교외 장학금 합격자 수기 강의도 학교 측으로부터 지원받아 진행하였다. 나를 파는 습관은 내 안의 부가가치를 발견하고 수익 모델을 디자인하는 사고를 기를 수 있다. 물론 돈보다 의미가 있다면, 돈에 구애받지 않고 재능기부를 하겠지만 결국 몸값을 올리는 생산활동에 습관화되어야 한다. 누군가는 너무 계산적이다고 말할 수 있다. 여기서 정확히 짚고 넘어가고 싶은 것은 계산하더라도 상대방이 느낄 정도로 유난을 떨 필요는 없다는 것이다. 사람과의 관계에서 상대에게 불편함을 제공하면서까지 계산하는 태도를 갖추라는 말이 절대 아니다. 태도로 보이는 것이 아닌 본인의 마음을 세일즈맨의 관점으로 설정해 두자는 것이다. 왜냐하면 정확한 계산을 하지 않고 돈을 잘 모은다는 것은 역설적이기 때문이다.

위에서 기재한 3가지 태도, 돈의 의인화, 관계와 돈으로부터 홀로 서기, 나를 판매하는 능력을 우리의 습관으로 들이기 위해 우리는 성실히 시간을 써야 한다. 돈에 대한 생각과 습관을 체화시키는 이유, 결국 시간을 벌기 위해서다. 돈의 여유는 시간의 여유가 잇따른다. 하지만 시간의 여유로 돈의 여유가 후행 되진 않는다. 돈과 시간의 관계, 결국엔 돈이 선행되어야 한다. 그렇기에 본격적으로 경제활동을 하기 전 내 생각과 습관을 돈이 모이는 구조로 시간을 투자하여 만들어야 한다. 당신은 미래를 담보로 오늘 하루를 허비하고 있지 않는가?

적용점

4. 영화 '인타임'의 세계관이라면, 당신에게 남은 시간은 얼마인가요?

_____

_____

_____

_____

_____

_____

5. 당신은 어떤 능력을 얼마에 팔 것인가요?

_____

_____

_____

_____

_____

_____

_____

6. 돈의 의인화, 홀로서기, 나를 판매하는 능력, 이 3가지 태도 중 당신에게
필요한 태도는 무엇인가요?

_____

_____

_____

_____

_____

_____

_____

7. 궁극적으로 당신에게 돈은 왜 필요한가요?

_____

_____

_____

_____

_____

_____

_____

천로역정 794일

2019.03
21살, 산업기능요원 군복무

제3화 천로역정 794일

부산은 1년 만인가, 현재 나는 휴학하고 집에 돌아와 일자리를 찾아보는 중이다. 오늘은 2019년 3월 18일, 아직 날이 풀리지 않아 쌀쌀한 감이 없지 않아 있지만 오랜만에 맡는 새벽 냄새가 좋다. 덜컹거리는 버스 창문에 비쳐 반짝거리는 윤슬, 눈 앞에 펼쳐진 일광 앞바다를 넋 놓고 바라본다. 복잡 미묘한 감정을 뒤로한 채 허름한 공장으로 향한다.

그렇다, 오늘 나는 대체복무 산업기능요원으로 직무를 수행하기 위한 면접을 보러 왔다. 산업기능요원에 대해 먼저 설명을 해보자면, 군복무의 한 형태이다. 우리가 흔히 아는 현역군인과 달리 산업기능요원은 병무청에서 선정한 병역업체에서 회사에 소속되어 근무하는 형태로 군복무를 수행한다. 군인은 입대할 때 바로 훈련소로 가지만 산업기능요원은 각자 알아서 병역업체를 알아보고 지원하여 회사 내부의 채용 절차를 통하여 먼저 일을 시작한다. 일반적으로 3개월 정도의 수습 기간을 거치고 산업기능요원으로 복무를 시작한다. 산업기능요원은 보충역의 경우 23개월을 복무하고, 현역의 경우 34개월을 복무한다. 그리고 그중 한 달은 훈련소에서 군사훈련을 받는다. 나는 평발이라는 사유로 보충역을 배정받았다. 21살에 바로 공익을 가고 싶었으나 주소지였던 부산 지역의 공익 TO가 없어서 3년 정도 대기를 해야 하는 상황이었다. 나는 21살에 군복무를 시작하고 싶어서 공익 이외 다른 경로를 알아보았다. 그렇게 알게 된 것이 산업기능요원이었다. 하지만 주변 사람들 중 산업기능요원을 수행한 사람은 없었기에 정보를 얻는 것에 제한적이었다. 친구들 대부분 현역이기도 했고, 공익을 배정 받았더라도 대기를 해서 공익을 가는 경우가 일반적이었다. 내가 알아본 산업기능요원의 장점은 실제 회사에서 근무하고, 4대 보험을 납부하는 근로자이기에 최저시급으로 월급을 받을 수 있었다. 당시 현역 월급이 20~30만 원 수준에 그쳤다면 산업기능요원의 월급은 적어도 140만 원이었으며, 잔업과 특근을 하는 경우에 많게 280만 원까지 받을 수 있다고 들었다. 나는 돈을 벌 수 있다는 것이 큰 장점이라 생각했다. 반면에 복무 기간이 너무 긴 것이 단점이었는데, 3개월 정도의 수습 기간을 포함하면 대략 26개월을 공장에서 근무해야 했다. 하지만 그 기간에도 돈을 벌 수 있다는 장점과 나름 사회생활을 일찍 해보는 것도 좋은 경험이라고 생각했다. 그렇게 나는 면접을 보러 왔다.

사실 나는 공장 산업단지에 처음 와봤다. 당연히 일반 인문계 고등학교를 나오고 바로 대학을 갔으니 따로 일을 해 볼 시간도 없었고, 산업단지는 대부분 부산 외곽에 위치했기 때문에 처음 와본 이곳은 생소하다. 공장 근처에는 재개발로 인해 공사 중으로 흙먼지가 날리고 평소에 흔히 볼 수 없는 지게차, 대형 트럭 등이 즐비하다. 다 똑같은 옷을 입은 사람들이 옹기종기 모여서 담배를 피우며 이런저런 담소를 나누고 있고, 공장에는 백구 한 마리가 묶여 있다. 공장의 외부는 흰색을 바탕으로 멀끔해 보이지만 내부의 작업장은 말도 안 되게 열악한 환경이었다. 작업자들 나름의 정비와 규칙이 보였으나 당황스러운 건 사실이었다. 그날 생산된 물건들은 1층에서 크레인으로 택배 상차 작업을 진행 중이고, 2층은 대형 계측기 작업장, 3층은 변류기, 변압기 작업장 그리고 4층에는 멀티 계측기 작업장으로 나뉘었다. 지하에는 구내식당이 있었고, 여러 자재가 보관된 창고가 있었다. 회사를 잠시 둘러보다 면접 시간이 되어 3층 사무실에 방문하였다. 조금 긴장한 채, 사무실 문을 열고 인사를 건네고 면접을 보러 왔다 조심스레 말했다. 나이는 50 후반으로 보이며, 뾰족한 눈매를 가진 직원분이 잠시 대기하라고 했다. 그렇게 사무실에서 잠시 대기하니 내가 지원했던 멀티 계측기 부서의 부서장이 찾아왔다. 그는 본인을 서 과장이라 소개하며 면접을 진행하였다. 면접 질문은 간단했다. 몸 건강한지, 일을 해본 경험이 있는지, 왜 산업기능요원으로 지원했는지 등 말이다. 그냥 있는 그대로 말했다. 평발이 공익 사유이지만, 신체검사를 받기 전까지 나는 이렇게 심각한 평발인 줄 몰랐을 정도로 몸 건강하고 힘도 잘 쓴다. 회사에서 일을 해본 경험은 없으나, 각종 알바 및 과외를 한 경험을 토대로 책임감과 성실함을 어필했다. 현재는 대학을 휴학하고 산업기능요원으로 군복무를 수행하기 위해 면접을 보러 다니고 있으며, 일을 맡겨 주시면 최선을 다하겠다고 말씀드렸다. 그렇게 대략적인 자기소개를 끝내니 대뜸 나더러 담배를 태우는지 물으셨다. 조금 당황했으나, 담배나 술은 따로 하지 않는다고 말씀드렸더니 오늘 중으로 면접 결과를 알려주겠다는 말씀으로 면접이 끝났다. 2시간 걸려서 온 것 치곤 면접이 20분 만에 끝나 조금 허무한 마음이 들었다. 나를 조금 더 잘 어필했어야 했냐는 아쉬운 마음을 가지고 집을 향했다. 집으로 가는 버스를 타기직전 051로 시작하는 번호로 전화가 왔다. 방금 면접 본 회사에서 면접 합격과 더불어 근무시작 날짜 협의를 위한 연락을 준 것이었다. 사실 면접이 너무 빨리 끝나서 좋은 인상을 주지 못했는지 걱정하고 있었는데, 그냥 멀쩡히 일을 할 수 있는 사람이면 바로 채용을 하는 것 같았다. 우선 일은 당장 시작할 수 있다고 말씀드리고, 다음 주 월요일부터 일을 시작하는 것으로 협의했다.

나는 멀티 계측기 소속으로 일을 시작했다. 우리 부서에는 부서장인 서 과장 그리고 장 과장, 김 주임이 있었다. 또한 나와 같은 특례병인 98년생 형 2명이 군복무를 하고 있었다. 멀티 계측기 부서는 대략 10개 남짓한 제품을 생산하는데, 이때 내가 부여받은 직무는 제품 안에 들어가는 회로보드를 만드는 것이었다. 회로보드 설계도에 따라서 저항과 각 부품을 PCB 판에 조립하고, 액체 납땜기에 대량으로 납땜하고 컷팅기로 절단하여 재고를 만든다. 이렇게 만든 회로보드 재고를 창고에 채워 넣으면 우리 부서 직원들이 계측기를 조립하여 완제품을 만든다. 우리 부서에서 만든 완제품은 오후 5

시가 되기 전에 1층 발송부서로 보내고, 이후 발송부서는 택배 상차작업으로 우리가 만든 제품은 전국으로 배송한다. 저항을 하나씩 조립하는 것이 사실 쉬운 작업은 아니었다. 왜냐하면 저항은 손톱보다 작은 부품일뿐더러, 한 PCB 판에 수십 개의 저항을 띠 색을 구분하여 작업을 하는 것에는 어려움이 있었다. 또한 이전 작업자가 나보다 체구가 작은 여성분이셔서 작업대를 비롯한 작업환경이 나의 신체 사이즈에 맞지 않아 허리가 아팠다. 회로보드에 저항을 다 조립하면 100kg이 넘는 납을 녹여서 대량으로 납땜을 진행한다. 고체인 납을 먼저 녹여야 하는데, 이 과정에서 납 떼에 찌든 냄새가 나서 머리가 지끈거렸다. 매번 공업용 마스크와 보호안경, 장갑, 토시 등을 착용해야 했으며 납이 튀어 화상 사고가 잦다고 하였다. 납땜을 진행한 이후 회로보드 뒤편에 튀어나온 저항 쇠 부분을 잘라야 하는데, 지름이 10cm 정도 되는 톱으로 대량 커팅을 진행했다. 직무 인수인계 과정에서 이전 작업자가 해당 과정을 진행하다가 장갑이 빨려 들어가서 손가락이 절단되는 사고가 있었다는 것을 알게 되었다. 이뿐만 아니라 이전 작업자들이 대부분 산업 사고로 인해 불구가 되었다는 것을 알게 되며, 산업 안전 사고에 대해 큰 경각심을 갖게 되었다. 그런데도 내가 배정받은 4층은 공장의 느낌보다는 작업장의 느낌이 들 정도로 다른 층들에 비해 작업환경이 쾌적한 편에 속했다. 귀가 찢어질 듯한 큰 소음도 없었고, 작업할 때 위험한 것도 없었다. 회사에서 가장 작업환경이 열악한 곳으로는 변류기와 변압기를 생산하는 3층이 해당한다. 3층에는 30명가량의 작업자가 근무하며 산업기능요원도 대략 10명에 달할 정도로 가장 큰 부서였다. 변류기와 변압기를 생산하기 위해서 코일 구리 선의 겉면을 벗겨야 하는데 이때 작업자들은 염산을 사용한다. 묽은 염산은 액체 풀 같은 느낌이기에 손에 닿아도 작업자들이 묽은 염산이 묻어도 모르는 경우가 많았다. 하지만 묽은 염산이 묻은 상태로 몇 초가 지나면 손 겉면이 화상으로 얼룩지게 된다. 그래서 그런지 3층 작업자들의 손등과 팔목에는 묽은 염산으로 인해 화상으로 피부가 벗겨진 것을 종종 볼 수 있었다. 그뿐만 아니라 3층에서 생산하는 변류기와 변압기는 제품의 뚜껑을 유압프레스로 압축시키는 공정이 있는데, 유압프레스로 제품에 압력을 가할 때 귀가 찢어지는 듯한 소음이 발생한다. 작업자들은 귀마개와 헤드폰을 끼고 일을 하지만 위험한 상황에서 다른 작업자들의 소리를 못 들을 수 있다며 귀마개를 끼는 것도 제한되었다. 산업기능요원들은 부서를 선택할 수 없기에 대부분 처음부터 정해진 부서에서 일을 하게 된다. 다행히 3층보다는 4층이 근무 환경이 훨씬 좋았기에 안도하였다. 내가 근무를 시작한 4층에는 총 3개의 부서가 있었는데 연령대가 대부분 3~40대로 구성되어 있어 다른 층에 비해서 비교적 젊은 느낌이 물씬 났다. 그렇게 내가 할 업무에 대해 일을 익히고 이해하는 수습 기간을 대략 3개월 정도 거쳤다. 처음에는 본가에서 버스를 타고 출퇴근하였다. 안락동에서 장안 산업단지까지 매일 왕복 4시간을 도로에서 보냈다. 꼭두새벽 6시에 집을 나서서 30분 정도 걸어가면 회사 버스 정류장에 회사 사람들이 옹기종기 모여 있다. 그렇게 버스를 타고 잠에 들어 눈을 뜨면, 아침 8시 회사에 도착한다. 그렇게 오후 6시까지 근무를 하고 회사 버스를 타고 집에 도착하면 밤 8시 하루가 끝이 난다. 나는 도로에서 매일 허비하는 4시간이 너무나 아까웠다. 이에 집에 남는 자동차를 타고 출퇴근했다. 그럼에도 왕복 2시간 반은 족히 소요되었고, 매일 출퇴근 시간에 꽉 막힌 도로와 운전으로 받는 스트레스도 어마했다. 그래도 공익 TO를 기다리며 허송세월하는 것보다야 군복무를 할 수 있다는 그 자체로 감사했다. 뒤늦게 알게 되었지만 내가 지원한 이 공장은 부산에서 제일 큰 규모의 병역 업체였다.

[2017년 12월]

「대학 합격 소식을 듣고, 나는 중학교 3학년 때 선생님을 찾아뵈러 갔다. 당시 공부에 흥미가 없었던 중학생 3학년인 나에게 격려와 용기를 주셨던 선생님께 가장 먼저 대학 합격 소식을 알려드리고 싶었기 때문이다. 오랜만에 걸어보는 중학교 등굣길을 지나 학교에 도착하여 선생님을 찾아뵈니 당시 같은 반이었던 영재도 와있었다. 그렇게 3년 만에 만난 우리는 그간 근황을 서로에게 말해주며 짧은 인사를 나누었다. 갓 20살이 된 영재는 회사에 취직했다고 말했다. 일은 시작한 지 벌써 1년이 넘었다고 말했고, 현재는 산업기능요원으로 군복무를 대체 중이라고 말했다. 내 주변에는 모두 대학에 간 친구들밖에 없어서 오랜만에 만난 영재의 근황이 되게 놀라웠다. 그렇게 나는 대학에 합격했다는 소식을 선생님과 영재에게 말했다.

영재는 나와 중학교 3학년 때 같은 반이었던 친구였다. 영재는 조용한 편이었고, 책을 읽는 것이 취미였다. 반면에 나는 활발한 성격으로 친구들과 함께 축구하는 것을 좋아했다. 그렇게 접점이 없을 것 같았지만 우리는 기독교라는 공통점이 하나 있었다. 당시 반에서 영재와 내가 거의 유일하게 기독교였기에 이를 계기로 서로를 알아가기 시작했다. 알고 보니 영재는 목사님의 자녀였고 당시 우리 동네에서 조그마한 교회를 목회하고 계셨다. 비록 서로가 섬기는 교회는 달랐지만, 기독교라는 공통점 하나로 우리는 서로를 응원하고 격려하는 친구가 되었다. 중학교 당시 나는 공부를 늦게 시작하였다. 중학교 1, 2학년 때 사춘기를 겪으며 공부하지 않았고, 이에 인문계 고등학교에 가지 못할 수도 있는 성적이었다. 그렇게 중학교 3학년 때 성적을 열심히 끌어올리면서 인문계 고등학교 합격선 문을 닫고 진학했다. 반면 나와 달리 영재는 학업 성적이 매우 우수하였다. 특히 국어, 영어, 사회, 역사와 같은 문과 계열의 과목에서 강점을 보였으며 마이스터고등학교에 지원할 수 있을 정도의 성적을 갖고 있었다. 하지만 그때 당시 영재는 선생님의 만류에도 불구하고 실업계 고등학교를 진학했다. 나로서는 인문계 고등학교를 너무나 가고 싶었기에 영재에게 왜 인문계 고등학교를 가지 않느냐고 물었다. 영재가 답하길, 대학을 갈 형편이 되지 못해서 기술을 배워서 일을 일찍 시작하여 부모님께 도움이 되고 싶다고 말했다. 그렇게 영재와 나는 각기 다른 고등학교를 진학했다. 나는 인문계 고등학교에 가서 공부를 제대로 시작하였다. 성적이 오르는 것에 재미를 붙여서 결국 졸업 당시 2점 초반 내신으로 졸업했다. 그렇게 나는 포항에 위치한 한동대학교에 진학하였다. 내가 4년제 대학에 합격했다는 소식을 전해 들은 중학교 친구들에게 많은 연락을 받았다. 사실 나는 중학교 생활만 놓고 본다면 공부하지 않았고, 항상 축구만 하는 학생이었기에 대학을 간다는 것 자체가 친구들에게 놀라웠던 것이었다. 영재와 선생님도 그러한 반응이었다. 선생님께서는 내게 대학 합격 소식을 축하해 주시며, 잘 됐다고 손을 꼭 잡아 주셨다. 선생님은 내게 무언가를 열심히 해보고 성취를 한 경험은 인생의 큰 원동력이 될 것이라는 말씀을 하셨다. 20살이 된 영재는 중학교 3학년 때와 달리 대학에 진학한 내가 부럽다고 했다. 왜냐하면 어린 나이에 회사에서 근무하는 것이 너무나 힘들었기 때문이다. 동시에 한동대학교에 진학하였다는 것을 들은 영재는 내게 이것저것 많이 물어보았다. 기독교 재단인 한동대학교는 사실 목사님과 선교사님 자녀들이 많이 진학하는 학교이다. 그렇기에 영재의 친형도 한동대학교에 지원했었다고 말해주었다. 아쉽게 대학에 합격하진 못했지만, 영재의 부모님께서도 한동대학교에 영재가 꼭 갔으면 좋겠다고, 말씀하신 것을 내게 말해주었다. 아직 우린 너무나 어리지만, 회사에서 사회생활을 시작한 영재는 비슷한 우리 또래와 함께 나눈 추억을 고파하고 있었다. 대학에 가서 여자 친구도 만나보고 싶고, 본인이 좋아했던 역사도 배워보고 싶다며 말했다. 19살 때부터 공장에서 일을 시작하면서 모아둔 돈은 있을지라도 늘 되풀이되는 삶에 많이 지친다고 했다. 어려운 상황을 푸념하던 영재에게 조심스레 질문했다. 만약 지금 네가 다시 중학교 3학년으로 돌아가면 인문계 고등학교를 갈 거냐고 말이다. 그렇게 인문계에 가서 네가 원하는 대학에 진학하고, 또 원하는 공부, 사람들도 사귈 것이냐 물었다. 곰곰이 생각에 잠긴 영재는 아니, 그래도 난 실업계에 가야 한다고 말했다. 그렇게 우리는 언젠가는 다시 만나자며 헤어졌다.

그렇게 나는 개강하고 신입생으로 포항에 왔다. 비록 한동대학교는 작은 학교지만 신입생 동안 훌륭한 교수님 아래 많은 통찰을 느끼며 학문적 성장과 삶의 지혜를 배웠다. 학교가 흥해라는 시골에 있어 주변 인프라나 먹고 마시는 놀거리는 없지만 대학에서 만난 동기, 선배들과 꿈을 나눌 수 있어 좋았다. 친구들과 많은 추억도 쌓았다. 기타 하나 들고 우리는 어디든 떠났다. 포항과 경주, 부산, 대구, 인천, 서울 등으로 말이다. 모든 것이 새롭고 신났다. 무엇이든 할 수 있을 것 같고, 심장이 터질 듯한 느낌을 받았다. 그렇게 1년이 지난 지금, 너무 많은 것이 바뀌어 있었다. 2019년은 작년과 달리 완전히 다른 환경에 내 삶이 놓여 있다. 2년이 넘는 시간 동안 학교를 떠난다는 것이 조금 섭섭하기도 하고 동시에 대한민국 남성으로서 군복무를 성실히 수행해야 할 책임감도 느꼈다」

그렇게 외로운 감정을 뒤로한 채 산업기능요원으로 군 복무를 시작한 이곳에서 중학교 동창 영재를 만났다. 그렇다 영재가 19살 때부터 다녔던 공장이 내가 지원한 공장이었다. 우리가 다녔던 중학교에서 서로의 근황에 대해 말하고 헤어지고 대략 1년이 지났을까, 우리는 이곳에서 다시 만났다. 기분이 오묘했다. 이렇게 열악한 환경에서 영재는 2년 넘게 회사 생활을 하고 있다는 것이 너무 안쓰러웠다. 꿈도 관계도 다 포기하고 공장에서 하루살이 인생을 지새우는 것은 젊고 혈기 왕성한 우리에겐 너무 받아들이기 힘든 현실이었다. 매일 몸에 좋지 않은 화학물질을 다루고, 살얼음판 같은 험악한 분위기의 공장에서 몇 년간 일한 영재는 내가 알던 모습과 많이 바뀌어 있었다. 사실 나보다는 영재가 더 놀란 표정이었다. 공익으로 이곳에서 산업기능요원 대체 복무를 진행하게 되었다고 말했다. 영재는 이곳에서 도망칠 기회는 지금뿐이라며 내게 농담 아닌 농담을 건넸지만, 사실 난 갈 곳이 없었다. 물론 대학원에서 전문연구요원으로도 군복무를 수행할 수 있었으나, 그냥 미필이라는 것 자체가 싫었다. 어쨌거나 가장 빨리 군 문제를 해결하고 싶었기에 영재에게 나는 회사 생활을 잘하는 법에 관해 물었다. 2년간 일을 한 영재는 팁은 없다며, 마음을 비우라는 의미심장한 말을 건넸다. 그렇게 2019년 3월부터 본격적으로 일을 시작하였고 6월에 군복무를 시작하며 회사 생활에 차차 적응하기 시작했다. 다행인 것은 3개월 만에 수습 기간을 끝내주었다는 것이다. 산업기능요원의 경우에 어쩔 수 없이 회사가 갑의 입장이다. 왜냐하면 회사에서 따라 근태 불량 등의 명목으로 산업기능요원을 퇴사시킬 수 있기 때문이다. 회사에서 중도 퇴사하게 되면, 군복무를 대체하는 우리에겐 진행했던 복무기간의 1/4만 인정받을 수 있기에 이를 악용하는 병역업체가 늘 뉴스 기사에 등장하곤 했다. 예를 들어, 18개월을 근무한 산업기능요원이 회사에서 퇴사를 권유받게 되면 군복무로 인정되는 복무 기간은 18개월의 1/4에 해당하는 4.5개월만 인정을 받을 수 있다. 현역의 경우 18개월 복무를 하면 만기 제대하는데도 불구하고, 산업기능요원은 복무기간 내내 회사의 부당한 지시에 대해 늘 긴장하고 있어야 한다. 물론 악용하는 회사가 문제인 것이지, 모든 회사가 문제가 되는 것은 아니다. 산업기능요원의 시스템이 이렇게 형성되어 있다 보니 우리는 항상 을의 입장으로 생각했다. 영재 또한 마찬가지, 생각이 딱딱하게 굳은 것이 느껴졌다. 설마 나도 이렇게 될까 봐 걱정이 앞섰다. 나보다 먼저 들어온 친구는 3개월 수습 기간이 끝났음에도 계속 회사에서 복무 승인을 허가하지 않아서 시간을 버리고 있었다. 이런 상황에서 정상적으로 수습 기간을 끝내고 복무를 시작할 수 있다는 것 자체가 감사했다.

그렇게 나는 수습 기간을 마무리하며 장안 산업단지 근처 신도시 정관에서 자취를 시작했다. 정관은 내게 익숙한 도시였다. 왜냐하면 가장 친한 동네 친구가 고등학생 때 정관으로 이사 가면서 친구를 보러 정관에 많이 와봤기 때문이다. 2019년 당시 정관은 아직 신도시라 상권 및 인프라가 잘 구축되어 있진 않았지만, 처음으로 자취를 해본다는 설렘 때문인지 그건 별로 중요하지 않았다. 그렇게 나는 공장 산업단지 옆 달산군에서 자취를 시작했다. 이곳도 대학가 근처 자취촌처럼 원룸 건물들이 빼곡히 들어서 있다. 근처에는 내가 근무했던 장안산업단지 뿐만 아니라 정관산업단지도 있었기 때문이다. 달산군 원룸촌은 보증금 500만 원 기준 월세는 대략 25~35만 원 정도로 형성되어 있었다. 신도시이기에 대부분 신축 건물이었지만 주변 상권이나 인프라는 정말 열악했다. 그런데도 나는 자취하기 위해서 부동산을 통해 집을 알아보러 다녔는데, 이는 출퇴근을 왕복 2시간 반이나 소요 되는 것이 너무나 힘들었기 때문이다. 그렇게 혼자서 정관에 위치한 부동산이란 부동산에 모두 연락을 돌리며 열심히 발품을 팔았다. 사실 21살 혼자서 집을 보러 다니는 것이 쉬운 것은 아니었다. 부모님께서 도움을 주신다고 말씀하셨지만 나는 혼자서 해보고 싶었다. 어차피 제대 후 포항에 돌아가서 혼자서 자취할 생각이었기에 스스로 부동산 계약을 해보는 것이 필요하다고 생각했기 때문이다. 그렇게 한 달 정도 회사 퇴근하고 부동산을 방문하여 집을 보러 다니는 시간을 거쳤다. 내가 거주할 자취방에 대한 전제 조건이 있었는데 위치와 가격이었다. 먼저 위치가 회사 직원과 함께 카풀이 가능한 곳이어야 했다. 정관의 경우 차로 회사까지 20분 정도 시간이 소요되는데 굳이 내가 차를 운행하지 않아도 정관에서 출퇴근하는 직원분들이 많았기에 카풀을 부탁드렸다. 20살부터 포항에서 운전한 나는 사실 운전에 큰 흥미가 없다. 포항처럼 차가 많이 없다면 모를까, 부산에서 출퇴근하다 보니 오히려 운전하면 신경을 쓸 것이 너무 많아 피곤했다. 이러한 이유에서 나는 직원분들이 거주하고 있는 자취방 근처로 발품을 팔았다. 둘째로는 가격이었는데, 내가 받는 월급은 당시 140만 원가량이었다. 나는 관리비를 포함한 월세를 30만 원 이상 지불하긴 싫었으나, 월세가 30만 원 미만일 경우에 집의 상태가 좋지 못했다. 이에 월세를 35만 원인 신축 원룸을 갈 것인지, 아니면 월세 25만 원이지만 구축 원룸으로 갈 것인지 고민을 했다. 사실 마음은 신축건물로 정했으나 가격이 조금 부담되어 3주 정도의 협상 끝에 집주인과 관리비 포함 월세 32만 원으로 협의했다. 집 계약을 잘 끝내고 그렇게 혼자서 자취를 시작하였다. 매일 3시간씩 허비되었던 통근 시간이 왕복 40분으로 줄었고, 줄어든 시간에 나는 영어 공부와 운동을 했다. 우리 회사에서 복무하는 산업기능요원은 대부분 운동선수 출신이었다. 학창 시절에 엘리트 코스를 밟다가 몸을 다쳐서 공익 판정을 받은 경우가 허다했기에 형들을 따라 운동을 다녔다. 그렇게 나는 공장에서 받는 스트레스를 운동으로 해소하고 아픔에 무뎌지는 시간을 가졌다. 그렇게 내게는 천로역정의 2년 3개월, 총 794일을 공장에서 근무하며 내가 깨우친 것이 두 가지가 있다면 단연 마음과 돈일 것이다.

먼저 마음에 관해 이야기를 해보고 싶다. 흔히들 말하는 군대 가면 철 든다, 사람이 되어서 나온다는 말이 있는데 이는 이제 갓 20살 된 청년들이 군대에 가서 많은 고생을 한다는 의미일 것이다. 군대를 가고 싶어서 가는 사람은 없을 것이다. 1년 6개월이라는 복무기간은 젊은 우리의 청춘을 보내기 너무 긴 시간이다. 그럼에도 할아버지도, 아버지도, 삼촌, 사촌 형들도 묵묵하게 군대를 다녀왔는데, 내가 징징거릴 순 없는 것이다. 그만큼 어린 우리에겐 가기 싫은 곳 이자 가야만 하는 곳이 군대이며 가지 않으면 남자의 구실을 못 한다는 사회의 잣대가 있기에 동시에 상당한 압박감을 느낀다. 이렇게 주저리 말하는 것도 부끄럽지만 사실 대한민국 남성으로서 병역의 의무는 당연한 것임을 잘 안다. 이런 마음이니 복무 기간에 조금만 힘들어도 불평하게 된다. 조금만 힘들고 억울해도 손해 보는 마음이 들고, 내가 여기를 안 왔다면, 내가 저 사람을 안 만났더라면 등 어린 생각이 난무하는 시기를 거친다. 나는 일보다도 사람으로부터 받는 스트레스가 너무 힘들었다. 공장에서 만난 작업자들은 대부분 외노자, 어르신들이었다. 선입견을 품고 말하는 건 아니지만 내가 정의한 어른의 범주에서 상당히 벗어난 사람들을 많이 볼 수 있었다. 그러다 보니 나도 상황과 사람에 따라 나보다 웃어

른을 공경하는 태도를 갖추지 않았고, 이에 버릇이 없다는 등 사회생활을 못 한다는 등 갖가지 이유로 나를 괴롭히는 사람들을 만났다. 그러한 괴롭힘으로 나는 상처받지 않으려고 똑같이 대응하고, 더 날카롭게 말하는 과정에서 마음을 많이 다쳤다. 사실 아직도 나는 어른다운 어른이 아니라면 경청하지 않는다. 나이가 어른이라고 모두가 어른처럼 생각하고 행동하지는 않기 때문이다. 4층 멀티 계측기 부서에서 일을 하다가 2020년 코로나를 맞이하게 되면서 4층의 주문이 현저히 줄었고, 그렇게 나는 3층으로 발령이 나게 된다. 말만 발령이지 그 당시 나의 입장으론 사실 3층으로 쫓겨난 것과 다름없는 꼴이었다. 왜냐하면 4층에서 함께 일했던 산업기능요원 중 내가 가장 막내였기 때문이었다. 입사하면서부터 내가 투입된 직무를 이제 몸에 익히고, 전반적인 시스템을 다 이해하였는데 정말 순식간에 다른 부서로 발령이 났다.

3층은 유연한 4층과 달리 매우 강압적인 환경이었다. 특히 3층의 관리자로 근무하던 이 부장은 산업기능요원들에게 폭언과 감시를 일삼는 사람이었다. 회사에서 작업자들에게 부여되는 생산가동률이 있는데, 이 부장은 무리하게 작업자들의 생산가동률을 높이는 건 일쑤였으며 항상 본인의 감정을 작업자들에게 배설하는 사람이었다. 내가 3층으로 발령되기 전에 무슨 일들이 3층에서 일어났는지는 잘 모르겠지만, 소문에 의하면 이 부장으로 인해 복무를 채우지 않고 제 발로 회사를 퇴사한 산업기능요원이 허다하였다는 것이다. 그로 인해 회사의 입장에서도 이 부장의 작업자 관리능력에 대해 말이 많았다. 3층에 근무하는 산업기능요원들은 대략 10명에 달했기에 3층 관리자의 역량이 특히 중요했다. 한참 이 부장과 산업기능요원들의 불화가 대립하고 있을 때, 코로나가 터지며 4층에서 일하던 나는 3층으로 발령이 나서 이곳에 오게 되었다. 동시에 내가 작업하던 공정을 그만두고 3층 부서의 완제품인 변류기와 변압기를 생산하라는 지시가 내려왔다. 공장 일은 단순노동이라 이해가 어려운 것이 없었기에 3층으로 발령되고 며칠 지나지 않아 변류기와 변압기를 생산하는 작업에 대해선 완벽히 익히고 수행하였다. 조금 더 첨언을 하자면, 나의 경우 항상 작업자들 가운데 우수한 생산가동률로 회사에 기여를 하고 있었다. 그뿐만 아니라 근태에 있어서 단 하루도 결근, 지각을 한 적이 없었다. 하지만, 이 부장은 단순히 4층에서 3층으로 발령받아서 온 나의 기강을 잡기 위해 상당히 감정적으로 나를 대했다. 나의 기를 죽이려고 말을 함부로 하고, 옆에서 나를 감시하고 윽박지르고 물건을 던지는 등 나를 움츠러들게 했다. 당시 22살이 되면서 난생처음 누군가에게 일방적인 하대를 받아보았다. 이미 그에 대해 좋지 못한 소문을 들었던 터라 어느 정도 인지를 하고 있었지만, 이렇게 나에게 적극적으로 해코지를 하려는 그의 말과 행동이 상당히 충격적이었다. 나는 그에게 부당한 대우를 받을 때마다, 오히려 그의 말과 행동에 대응하지 않고 일에만 집중했다. 나는 그가 회사 내에서 단순히 대장 놀이를 하는 느낌이 싫었다. 회사 업무나 근무에 대해서는 전혀 문제가 없었는데도 불구하고 그가 작업자들에게 모욕적인 말과 행동을 하는 심리에 대해 생각해 보면 본인이 그들의 우위에 있다고 생각하기 때문일 것이다. 특히 이 부장은 실업계 고등학교에서 실습으로 공장에서 근무하는 친구들을 지독하게 괴롭혔다. 관리자인 본인의 말에 작업자들이 벌벌 떨게 만드는 문화를 고집하고 있었다. 나이를 지긋이 먹은 사람이 본인의 손주뻘 되는 청년들에게 윽박지르는 꼴이 참 우스워 보이면서도 한편으로는 불쌍해 보이기도 했다. 하지만 적어도 나는 이 부장같이 윽박지르고, 욕을 하고, 물건을 집어 던지는 방식을 고집하는 사람이 오히려 상대하기 쉬운 사람이라 생각했다. 나는 오로지 내게 주어진 일을 완수하는 것에만 몰두했으며, 그 사람의 기분이나 비위를 맞추기 위해서 행동하지 말자고 다짐했다. 지금 돌아보면 당시 어리기도 했고 사회생활을 해본 적이 없었으니 유연함이 없었던 건 사실이다. 하지만 나는 부당한 대우를 받는 것에 움츠러들기 싫었다. 동시에 함께 3층에서 근무했던 산업기능요원

동기들도 이해가 되지 않았다. 우리는 군복무를 대체하는 산업기능요원이지, 죄를 짓고 온 범죄자가 아니기 때문이다. 동일한 의미에서 우리의 본분은 병역 업체에서 정직하고 성실하게 일을 하는 것이지, 부당한 대우에 비위를 맞추는 것이 아니라고 생각했다. 오히려 근태가 불량하고, 작업 가동률이 잘 나오지 않더라도 그의 비위를 맞춰주는 작업자들에게 이 부장은 오히려 호의적으로 대하는 것이 보였다. 이게 얼마나 웃기는 일인가, 본인의 회사도 아닌 곳에서, 일개 직원이 본인의 기분 따라 대장 노릇을 하고 있다는 것에서 나는 완전히 질려버렸으며, 이에 나는 그가 작업자로서 관리 능력이 없다고 판단하였다. 그뿐만 아니라 이 부장은 회사 밖, 사생활 문제도 심각하였다. 회사 내 여직원과 불륜을 저질렀고, 이에 여직원의 남편이 회사에 칼을 들고 찾아오는 등 소란이 있었다. 이러한 저급한 인생을 살고 있는 사람의 기분을 맞추기 위해 줏대 없게 행동하는 것은 내 목에 칼이 들어와도 용납할 수 없는 일이었다. 나는 이러한 사실에 더욱 그의 무차별적 폭언과 지적을 철저히 무시하며 내게 주어진 일에만 집중했다. 22살 젊은 혈기에 노망난 그의 훈계를 듣고 있노라면 피가 역류하는 느낌에, 세상이 거꾸로 돌아가는 기분이 들었다. 그럴 때마다 나는 그에게 철저한 무관심으로 응대했다. 당신이 관리자로서 나에게 작업 요청할 것 아니면 적어도 당신 같은 사람이 나에게 삶의 자세에 있어 옳고 그름을 논하지 말라고 말했다. 그럴 때마다 그의 눈을 보면 미쳐서 돌아버린 것이 느껴진 달까, 사람이 정신을 잃을 정도의 광기가 느껴졌다. 나는 정말 최후를 대비하여 치고받고 싸울 준비도 했었다. 3층 작업장의 경우 염산이나, 망치, 프레스 등 위험한 물건이 많았기에 내 몸을 보호하는 동선도 머릿속으로 생각해 두었을 정도였다. 그 사람이 만약 완전히 정신이 나가버려 나에게 육체적 해를 가한다면 언제든 나도 반격할 준비를 하고 있었고, 오히려 나는 그렇게 되기를 원할 정도로 사람들 앞에서 인격적인 모독을 당해왔었다. 내가 작업자로서 단지 주어진 일을 해내지 못해서가 아닌, 혹은 근태가 불량해서도 아닌, 오직 그의 명

령에 순종하는 태도와 눈을 갖추지 않았다는 이유만으로 괴롭힘을 당했다. 겉으론 표현을 안 했지만, 속으로 '그래, 차라리 나랑 싸우자, 내가 너를 죽여버리겠다'는 생각에 사로잡혀 오히려 내 마음이 너무 아팠다. 살면서 누군가에게 이렇게 비참한 모욕을 당해보고, 나도 그에 굴하지 않고 마음으로 계속해서 죄를 짓는 것이 어린 내게 얼마나 괴로운 일인지 몰랐다. 핸드폰을 비롯한 소지품을 다 뺏겨서 아침에 출근하기 전 포스트잇에 욥기 말씀을 적어 갔다. 마음이 무너질 때마다 포스트잇에 적힌 말씀을 속으로 읽으며 버텼다. 처음에는 무시로 일관하다, 가만히 있으니 나를 너무 우습게 여기길래 똑같이 맞대응을 하기도 했다. 결국에 나는 3층으로 발령 난 지 3개월이 되던 째 무너졌다. 이 부장은 작업자인 내가 관리자인 본인의 말에 복종하지 않았다는 이유로 나를 회사에서 내보내려 했다. 이 부장은 회사의 지침이 내려왔다며, 앞으로 너는 내일부터 회사에 나오지 말고 지금 당장 나가라며 나를 겁박했다. 그는 정확히 산업기능요원의 치명적인 약점을 알고 있었다. 당시 내가 근무한 지 13개월 정도 되었을 때의 일이다. 수습 기간을 3개월 제하면, 10개월이란 기간을 복무했는데 지금 회사에서 나가게 되면 나는 10개월의 1/4인 2.5개월만 군 복무로 인정받게 되는 것이다. 다른 현역 친구들은 곧 전역을 하는데, 나는 지금 회사에서 지금 쫓겨날 상황이 된 것이다. 그렇게 되면 나는 복무기간 1년 11개월 중 2.5개월만 복무를 하게 된 꼴이며. 13개월을 일했음에도 다른 회사에서 다시 수습 기간을 포함하여 2년을 일을 해야 하는 상황이 되는 것이다. 몸과 마음을 다치지 않으려 그렇게 발악했지만, 나더러 회사를 나가라는 그의 말에 철저하게 나의 몸과 마음이 무너졌다. 그렇게 내 인생을 망가뜨리고 싶었는지 원망이 들면서도 내가 도대체 여기서 지금 뭐 하고 있는지에 대한 자괴감이 들었다. 영재도, 주변에 친했던 형들, 가깝게 지냈던 직원분들도 어쩔 도리가 없었다. 결국 그가 만들어 놓은 문화와 방식에 내가 순응하지 않았기에 초래된 결과일 뿐이었다. 외롭고 무서웠다. 나를 보호해 줄 이가 한 명도 없었다. 사람들도 옆에서 구경하기에 바빴다. 그는 점점 더 노골적으로 나를 괴롭히기 시작했다. 근무시간 내내 옆에서 나를 감시하는 것을 넘어서 쉬는 시간에도 감시하기 시작했다. 다른 작업자들에 비해 터무니없이 높은 작업 가동률을 지시했으며 이를 달성하지 못할 경우, 폭언을 넘어서 회사에서 쓸모없는 사람이라며 모욕을 줬다. 나는 본디 누군가를 증오하고 부정하는 사람이 아닌지라 그에 대해 복수하는 마음을 먹을수록 점점 내 마음이 병들어 무너졌다. 더 이상 나를 괴롭히지 않았으면 하는 마음에 그냥 내가 저 사람에게 잊혔으면 좋겠다는 마음이 들었다. 군 복무 대체로 병역업체에서 근무하는 것이니, 나의 본분만 열심히 하여 전역하고 싶었다. 맞다, 사실 군대를 가기 전에 너무나 어리고 부족했기에 군 복무를 통해 조금 더 성장했으면 좋겠다는 것을 나도 기대했고, 인정한다. 하지만 이렇게 내 마음을 다칠 정도로 단련되는 것은 원치 않았다. 그렇게 무뎌지기까지 1년이 지났을까, 어리고 철없었던 나는 사회로부터 쓰디쓴 상처를 받다 보니 꿈에서도 종종 울고 있는 나를 본다.

참 지금 생각하면 별것도 아닌데, 그때 얼마나 괴로웠는지 모른다. 그렇게 마음이 갈기 찢어져 너덜너덜해진 하루, 퇴근하고 집에 오니 부모님이 자취방에 와계셨다. 사실 부모님께서는 이 사실을 모르고 계셨다. 단지 내 생일 하루 전날이라 나를 보러 오신 것이었다. 그렇게 밥을 먹다가 일은 힘들지 않냐는 아빠의 말에 결국 참아왔던 눈물이 났다. 그냥 한참을 멍하니 훌쩍였다. 부모님은 나의 상태가 이상하다는 것을 감지하시고 나를 집으로 데려가셨다. 집으로 가기 전 혼자 교회에 잠시 들렀다. 교회 바닥에 앉아서 한참을 울었다. 기도도 안 나오고, 그냥 평범하게 살던 내게 왜 이런 일이 기어코 일어나는지 하나님께 원망했다. 한참을 앉아서 목 놓아 울다가 이런 마음이 들었다. '무엇이 두려운가, 너의 등 뒤에는 내가 있다.' 정말 머리를 세게 맞은 것 같이, 그래 내가 뭐가 두려워서 그 사람의 괴롭힘에 이렇게 무너지는가 느끼게 되었다. 길지 않은 시간이었지만, 내가 그때 느낀 감정은 또렷하고 분명했다. 그렇게 그다음 날 나는 집에서 회사로 출근했다. 그렇게 오기 싫었던 회사 출근길이었지만 오히려 발걸음이 가벼워진 느낌이 들었다. 회사에 들어가서 내 작업대가 아닌 회장실로 향했다. 사무실 직원들이 나를 불러 세웠지만, 나는 회장님을 찾아뵙고 긴히 드릴 말씀이 있다고 회장님을 만나게 해달라고 요청했다. 그렇게 회장님께 여태 나에게 있었던 일들에 대해 솔직하게 말했다. "산업기능요원으로 1년간 근무하고 있는 황인수라고 하며, 4층 멀티 계측기 부서에 소속되어 있다. 코로나가 터지며 3층으로 발령이 나서 현재는 변류기 제품을 생산하고 있다. 회장님을 찾아뵌 이유는 현재 3층에서 지내는 회사 생활이 너무나 고통스럽고 앞으로 이렇게는 더 이상 회사 생활을 하지 못하겠다고 판단하여 면담을 요청했다. 3개월가량 관리자인 이 부장에게 폭언과 감시를 당하고 있으며, 최근에는 이 부장에게 회사에서 나가라는 말까지 들었다. 하지만 회사에서 직원을 채용하고 내보내는 것은 회사의 주인인 당신의 권한일 것이다. 이 부장은 아무리 관리자이지만 당신의 직원일 것이며, 그가 나를 이 회사에서 내보내는 것이 회장님 당신의 뜻이면 내가 나가겠다. 하지만 이것이 독단적인 이 부장의 언행과 만행이라면, 나는 개선이 필요하다고 생각한다. 외람되지만, 동시에 작업자들 사이에 신임을 받지 못하는 사람을 관리자로서 역할을 맡기신 이유가 궁금하다. 나뿐만 아니라 산업기능요원들이 3층에서 일하는 것을 힘들어하고 꺼린다. 다시 한번 내가 회사에서 나가는 것이 당신의 뜻이고 이를 관리자인 이 부장을 통해서 나에게 전달한 것이라면, 좋다. 나는 회사를 나가겠다"고 말했다. 내 이야기를 잠잠히 듣던 회장님은 자존심이 상하셨는지, 일단 알겠다며, 나 더러 작업대로 가서 일을 하고 있으라고 말했다. 속이 너무나 후련했다, 내가 정말 뭐가 두려워서 이렇게 벌벌 떨었는가. 나는 이 지긋한 회사를 나올 생각으로 속에 담아두었던 모든 말을 했다. 그렇게 회사 임직원 회의가 갑작스럽게 열렸고, 그날 그 시간 이후로 나는 더 이상 이 부장을 볼 수 없었다. 그렇다, 과거부터 다수의 작업자가 이 부장의 폭언으로 인해 회사를 그만두었던 것이 회사에서도 그에게 경고했던 것이었다. 이에 이 부장은 작업자 중에서도 가장 사회적으로 약하고 힘이 없다고 생각한 산업기능요원들을 집중적으로 괴롭히기 시작했다. 산업기능요원들은 복무를 마치기 전 회사를 그만두는 것이 본인에게 너무나 큰 손해임을 알기에 억울하다는 말 한마디를 못 했다. 그렇게 3층에서 근무하던 산업기능요원들의 갑작스러운 퇴사가 잦아지며, 회사 임원진들도 이에 대한 경각심을 갖고 있었다고 한다. 그러던 와중 돌연 내가 회장실을 찾아서 이러한 사실에 대해 명명백백히 고하니 회사의 입장에선 문제가 되는 이 부장을 퇴사시킨 것이었다. 얼떨결에 작업 환경이 개선되어 산업기능요원을 포함하여 작업자들 사이에선 내가 유명 인사가 되어 있었다. 여태껏 단 한 번도 이런 경우가 없었기 때문이다. 하지만 동시에 과연 이것이 최선이었을까 하는 먹먹한 마음이 들었다. 그 사람이 너무나 원망스럽고, 증오했지만, 그 사람에게도 먹여 살릴 가족이 있는 것 아닌가, 30년 넘게 다니던 회사를 갑작스럽게 나간다는 소식은 내게도 적지 않은 충격이었다. 나는 이 상황이 개선되는 것을 원했지, 그 사람이 잘못되었으면 좋겠다는 생각은 하지 않았다. 누군가를 죽일 작정을 한 뾰족하고 날카로운 마음은 오히려 나를 다치게 하기 때문이다. 오랜 긴장이 풀려서일까, 배가 너무 아파 그 자리에 주저앉았다. 일어설 수도, 앉을 수도, 뭘 할 수 없을 정도로 배가 찢어지는 듯 아팠다. 아픈 배를 부여잡고 병원에 향했고 의사가 진단 내리길, 스트레스성 급성 충수염이라고 한다. 맹장이 터진 것이다. 그렇게 일주일가량 회사에 병가를 내고 맹장 수술하고 가족들과 시간을 보냈다.

이후 회사 생활은 정말 많은 부분에서 개선이 되었다. 다행히 그간의 공로를 인정받아 산업기능요원 최초로 팀장 및 관리자가 되었다. 물론 부서 전체를 맡는 관리자는 아니지만, 나에게 2명의 근로자를 책임지라는 회사의 지시가 있었고 우리는 총 세 명이 팀으로 움직였다. 특히 회사에서 자동화 시스템을 준비 중이었는데 해당 프로젝트에 투입되어 자동화 시스템의 기능 및 개선점을 파악하는 역할도 병행하였다. 나는 팀장으로서 우리 팀원들이 나의 무능과 언행으로 실족하지 않게끔 항상 솔선수범하길 애썼다. 지금 글을 쓰면서도 마음이 고통스러울 정도로, 당시 너무나 부족하게 내게는 잔인한 일들의 연속이었다. 동시에 하나님을 인격적으로 만난 내 간증이기도 하다. 나를 술과 도박, 유흥으로 피하지 않게 하시고, 인생의 끝자락처럼 느껴질 때 나를 외면치 않으신 하나님을 또렷이 기억한다. 이후로 나의 삶은 많은 것이 바뀌었다. 내가 사망의 음침한 골짜기라도 해를 두려워하지 않을 것은 주께서 나와 함께 하심이라는 다윗의 고백이 나의 고백이 되고, 이로 내 생각과 말에서 근거 있는 자신감이 생겼으며 어떤 상황일지라도 용감하고 담대한 마음도 갖게 되었다. 나락으로 떨어져 더 이상 갈 곳도 없던 나의 등 뒤에, 가늠할 수 없을 정도로 크디큰 산 같은 하나님, 이후로 나는 잃을 것도 두려워할 것도 없다. 이렇게 나는 내 마음을 지키는 것에 대해 배웠다.

두 번째로 794일의 기간 동안 내가 깨달은 것은 돈이다. 대학에 진학하면서 시작한 과외는 대면으로는 일주일에 한 번, 토요일에 부산에 내려가서 두 친구를 봐주었고 비대면으로 수요일 저녁에 줌으로 수업을 진행했다. 그렇게 한 달에 90만 원씩, 2019년 3월부터 12월까지 총 9개월 동안 800만 원이 넘는 돈을 벌었다. 그렇게 돈을 벌었음에도 불구하고 저축 한 푼 하지 않았으며, 오히려 쇼핑하느라, 여행을 다니느라 돈이 부족해서 부모님께 300만 원가량의 돈을 빌릴 정도였다. 당시 돈을 너무나 쉽게 생각하여 돈에 대한 걱정도 개념도 없었다. 매달 90만 원 버는 족족 쇼핑과 여행으로 사치를 부렸다. 오히려 빚을 내지 않고 내가 직접 번 돈을 쓰는 것에 기고만장했다. 나의 이런 부끄러운 마음은 산업기능요원으로 근로 활동을 시작하며 산산이 부서지게 되었다. 2019년도 최저시급 8,350원, 아침 8시부터 오후 6시까지 총 8시간 근무로 주 40시간 한 달에 대략 160시간을 일하고 주휴수당까지 합하여 수령한 나의 월급은 대략 140만 원에 불과했다. 일주일에 6시간 정도만 시간을 써도 한 달에 90만 원이라는 돈을 과외로 벌던 내가 한 달에 160시간을 근무하여 140만 원을 버는 것은 내게 적지 않은 충격이었다. 돈을 우습게 생각했던 나를 되돌아보았다. 마치 과외를 하며 쉽게 벌었던 것 기억만으로 모든 돈을 대했던 것이었다. 그렇게 매일 공장에서 일을 하며, 내 인생에서 가장 많은 시간을 들여 돈에 대해 고민하는 시기를 맞이한다. 3개월이 되던 차, 과연 내가 전역할 때 얼마를 모을 수 있을지 계산했다. 첫 달의 월급은 현금을 드렸고, 2, 3번째 월급은 부모님께 빌린 돈을 갚았다. 남은 23개월 동안 매달 140만 원의 월급을 전부 저금한다고 해도 3,000만 원 조금 넘는 금액이었다. 내 인생에서 과연 1,000만 원은 모을 수 있을까?란 생각과 동시에 이렇게 힘들게 돈을 벌어서 23개월 동안 전부 저축해도 3,000만 원밖에 되지 않는 사실이 막막했다. 사실 3,000만 원으로 무엇을 할 수 있겠는가, 집을 살수도, 좋은 차를 살 수도 없을 터무니 없이 적은 금액이기 때문이다. 부동산의 가격은 끊임없이 폭등하고 있어 더 이상 성실한 근로소득으로는 따라가지 못하는 시대에 살고 있음이 비통했다. 하지만 탓만 한다고 바뀌는 것이 없는 것을 너무나 잘 알고 있다. 그렇게 나는 미친 듯이 돈을 모으기 시작했다. 내가 비록 지금은 공장에서 일을 하고 있으나 내가 전역할 때는 3,000만 원을 모으고 나가겠다는 마음이 솟구쳤다. 피눈물 흘려가며 번 돈을 허투루 쓰기 싫었다. 오히려 정직하게 돈을 모으는 것이 지금 당장 내가 할 수 있는 가장 정직한 보상이라 생각했다.

천로역정은 기독교 문학의 대표작으로 신앙의 여정을 상징적으로 묘사하는 단어이다. 주인공이 겪는 여러 가지 장애물과 유혹은 신앙인이 세상에서 맞닥뜨리는 시련을 상징한다. 나에게 794일 천로역정과도 같았던 군복무 기간은 나의 내면 깊은 성장을 일깨워 준 감사한 시간이다. 당시 몸과 마음이 지쳐 힘들었지만, 정금같이 단련되었다. 죽을까 봐 단 한 순간도 정신을 빼 놓고 살지 않았다. 그렇게 나는 전역할 때 3,460만 원을 모으고 퇴사한다. 이후 복학하고 나의 삶은 완전히 뒤바뀐다.

적용점

8. 당신의 삶에서 가장 어려운 시기는 언제인가요?

_____

_____

_____

_____

_____

_____

_____

9. 당신은 어려운 시기를 어떻게 극복했나요, 진행 중이라면 어떻게 극복해
나가고 있나요?

_____

_____

_____

_____

_____

_____

_____

3,460만 원짜리 루틴

2021.08
23살, 군복학

제4화 3,460만 원짜리 루틴

누군가 내게 돈에 큰 관심이 없을 것 같다고 말했다. 글쎄, 2024년에 현대 사회를 살아가면서 돈에서 자유로운 사람이 있을까? 사실 난 돈보다는 그 이상의 의미를 갈구한다. 동시에 세속적인 이야기에 관심 없는 것 같은 이미지를 추구한다. 근데 이러한 모습에 관해 이야기를 해보자면, 교회에 들어가서 내면의 욕심을 사그라트리는 이미지보다는 모든 물질적인 조건이 충족됐기 때문에 그 이상의 것을 꿈꾸는 사람이 되고 싶다. 독일의 고고학자인 하인리히 슐리만처럼 말이다. 그는 본인이 차린 공장에서 이미 많은 돈을 벌고 엑시트하여 경제적 자유를 이뤘다. 어렸을 적 호메로스를 좋아했던 그는 공장을 엑시트한 자본을 가지고 튀르키예로 가서 남은 삶을 고고학 발굴에 힘썼다. 이처럼 나는 물질적으로 모든 것이 충족된 이후 내가 좋아하는 것에 물질적 구애를 받지 않는 삶을 살길 원한다. 이와 같은 '경제적 자유'를 이루기 위해선 경제적인 도약이 선행되어야 한다. 마찬가지로 경제적 도약을 위해선 그에 합당한 시간과 노력이 필요하다. 지름길은 없다. 794일, 천로역정과 같았던 산업기능요원을 무사히 전역하고 통장 잔고에 남은 돈은 3,460만 원이다. 돈도 돈이지만, 내게 저 돈보다 더 중요한 것은 내게 남은 저축 습관이었다. 나는 이를 3,460만 원짜리 습관이라 생각한다. 전역할 때까지 나는 오로지 저축만을 고집했다. 물론 당시 주변의 근로자들은 투자, 정말 간혹 도박하는 사람들이 있었고, 저축과 비교할 수 없는 수익률을 보여주며 내게 권유했다. 당시 사람들은 고지식하게 저축만 고집했던 내게 몇 년 뒤 시대에 뒤처질 것이라는 기분 나쁜 농담을 건네기도 했다. 하지만 지금 되돌아보면 무분별한 욕심으로 내 자산을 증진하기 위해 잘 알지도 못하는 투자나 도박에 손을 대지 않은 것이 너무나 다행이라 생각이 든다. 아마 당시 투자했다면 저축보다는 더 높은 수익률을 기록했을 수 있다. 투자와 투기가 점차 구별되지 않고, 자산 증식을 위해서 어떤 일이든 발생할 수 있는 이 혼잡한 세상 속에서 오롯이 저축만 고집한다는 것은 미련해 보일 수 있다. 하지만 필요성을 느끼지 못하는데 남들이 다 한다고 해서 투자를 따라 시작하거나 도박했다면 돈을 벌어도 문제고, 돈을 잃어도 문제가 된다. 동시에 분명한 것은 노력 대비 너무나 쉽게 돈을 벌 수 있다는 교만한 생각에 정당한 근로소득과 저축의 소중함을 느끼지 못했을 것이다. 따라서 건강한 경제 습관을 들이기 위해 저축만큼 정직하고 성실한 방법은 없을 것이다.

저축은 어찌 보면 인간이 가장 하기 힘든 일 중 하나일 것이다. 왜냐하면 돈은 자본주의 사회에서 기회이기 때문이다. 돈이야말로 진정한 자원이다. 음식으로도 바꿀 수 있고, 놀이로도 바꿀 수 있고, 재미로도 바꿀 수 있는 것이 바로 돈이기 때문이다. 그렇기 때문에 돈을 저축하기 위해서 강력한 마음가짐이 있어야 한다. 절제하는 마음가짐이 없으면 돈을 모으지 못한다. 그렇기에 천만 원 겨우 모으자마자 차 사고, 오백만 원 모으자마자 여행 가는 것이 이상한 일이 아니다. 모든 사람들은 대부분 그렇게 산다. 그렇게 커왔고, 그렇게 살아가기 때문이다. 사업을 할 때는 저축하는 마음가짐보다 더 강한 마음가짐이 필요할 것이다. 투자할 때도 저축하는 것보다 훨씬 강한 마음가짐이 필요할 것이다. 회사에 다니는 것도 마찬가지이다. 그러니 저축은 본인의 목적을 달성하기 위해서 웅크리고 기다리는 것으로 생각하자. 이에 저축을 조금 더 값진 행위로 인식하는 것이 중요하다. 저축은 미래의 자유를 위한 소비이자 우리의 삶에 유연성을 보장해 주기 때문에 단연 최고의 소비일 것이다. 가령 돈을 쓰지 않고 저축을 한 사람은 가족 중 누가 갑자기 아파도 당황하지 않고 일을 처리할 수 있는 것처럼 말이다. 저축을 통하여 우리는 불확실한 미래에 유연성을 갖고 대응할 수 있다. 지식사회 및 경쟁 사회가 고도화되면서 우리는 남보다 똑똑하고 능력이 있어야 성공한다고 생각한다. 하지만 AI로 인해 지능이 더 이상 지속 가능한 우위가 아닌 세상에 우리는 살고 있다. 흔히 열악한 환경에서 피나는 노력하여 대성을 한 사람을 보고 '개천에서 용 났다'라고 일컫는다. 하지만 이는 옛말로 전락하여 현대사회에 적용되는 말인가? 그렇기에 우리는 저축을 통해서 구축한 안전마진이 급변하는 세상에 대응하는 적절한 자세일 것이다. 본인 직업의 전문성과 경제 능력은 별개인 세상이기 때문이다. 안전마진은 다른 사람들이 누리지 못하는 여유와 장기적인 사고를 할 수 있게 한다. 안전마진을 가지고 있는 것은 지능이 더 이상 지속 가능한 우위가 아닌 세상에서 자신을 두드러지게 한다. 필요한 경우 안전마진을 통해 우리는 새로운 능력을 배울 수 있을 것이고, 내가 할 수 없는 것들을 할 줄 아는 경쟁자들을 급히 뒤쫓아야 한다는 압박도 덜 느낄 것이다. 그리고 나에게 꼭 맞는 일을 나만의 속도에 맞춰 도전할 여유가 있을 것이다. 새로운 일상을 찾을 수 있고, 더 느리게 살 수도, 전혀 다른 가정을 가지고 인생에 대해 생각해 볼 수도 있을 것이다. 대부분의 사람이 할 수 없는 것들을 내가 할 수 있다는 사실은 온전히 내 삶을 누릴 수 있게 만드는 몇 안 되는 능력이다.

각자마다 저축 목표 금액이 다르겠지만, 천만 원이면 천만 원, 삼천만 원이면 삼천만 원, 일억이면 일억과 같이 본인이 생각해 둔 금액대가 있을 것이다. 군 복무 기간 삼천만 원의 금액을 목표로 설정한 나는 목표금액에 도달하기까지 무작정 저축하는 것에만 집중했다. 전역을 한 지금, 목표 금액에 도달하고 뿌듯한 마음이 들기도 하지만 막연하게 답답한 감정이 더욱 크게 느껴졌다. 3,640만 원은 너무나 큰돈이지만, 26개월 동안 성실히 근로하고 철저히 소비를 통제해서 모은 돈이 이것밖에 되지 않는 것에 대해 씁쓸한 마음이 들었다. 내가 들인 시간에 비해 3,640만 원은 너무 적다고 생각했다. 그렇게 나는 투자의 필요성을 느끼기 시작했다. 이처럼 각자가 투자가 절실히 필요하다고 인지할 때까지 무식하게 저축하는 것이 선행돼야 한다. 분명히 무작정 돈을 모으는 게 맞을까? 저축과 동시에 투자하는 게 맞지 않을까?

라는 의문이 들 것이다. 하지만 정답은 정해져 있다. 무작정 돈을 모으다 보면 어느 순간 투자의 필요성을 느끼고 자연스럽게 투자하게 된다. 자산이 아직 없는 상태에서는 내가 투자하고 싶어도 자본이 없어 제대로 하지 못할 것이다. 설령 투자하더라도, 속으론 돈을 많이 모으지도 못했는데 잘 모르는 상태에서 투자를 잘못해서 이마저도 잃어버리면 어떡할지에 대한 걱정과 두려움을 매 순간 느낄 것이다. 그래서 먼저 본인이 생각한 금액을 책정하고, 해당 금액까지는 열심히 저축하는 것이 선행되어야 한다. 열심히 저축하여 내가 설정해 둔 금액 이상 돈을 모으게 되면, 내 통장 잔고가 아무리 늘어나도 크게 의미가 없다는 걸 깨닫게 된다. 군복무기간동안 삼천만 원 가까이 모았지만 현실적으로 그 이상의 돈을 일상생활을 지내며 써야 할 일은 거의 없다. 사업을 해서 돈을 굴려야 하는 것이 아닌 이상 평범한 생활을 하면서 삼천만 원가량의 돈을 지출할 일이 거의 없다는 것이다. 서울의 한 아파트를 대상으로 한 가구당 한 달에 소비하는 금액에 대한 조사 결과에 따르면, 가구당 한 달에 최대로 많이 소비한 금액이 1,300만 원이라고 한다. 조사에 임한 가구는 2인 가구가 될 수도 있고, 3인 가구 혹은 4인 가구가 될 수 있지만, 그걸 떠나서 한 가구에서 최대로 많이 쓴다고 하더라도 1,300만 원이 최대라는 것이다. 본인이 그 이상의 막대한 부를 누리겠다, 이런 것이 아닌 이상 평균을 놓고 봤을 때 한 달에 1,300만 원 이상은 나갈 일이 없다는 뜻이다. 그렇다면 내가 다음 달 혹은 다다음달까지 통장에 1,300만 원 이상의 현금을 쥐고 있는 건 어리석은 일이다. 한두 달은 지금 당장 먹고살아야 하는 돈이 필요하겠지만, 내 통장 안에 그 이상의 돈을 쥐고 있는 건 의미가 없다는 것이다. 차라리 그 돈으로 부동산에 투자하던 주식을 굴리든지 하는 게 훨씬 더 이득이다. 그렇기 때문에 기본적으로 앞서 말했던 일정 금액이라는 기준부터 잡아야 한다. 그 금액이 충족되면은 지금 말했던 것들이 어떤 느낌인지 현실적으로 와닿을 것이다. 목표를 정해두고 열심히 저축하다 보면 근로소득으로 돈을 모으는 것에 한계가 보일 것이며,

돈이 늘어나는 속도보다 상대적으로 시간이 느리게 흐르는 것이 또렷이 느껴질 것이다. 다르게 말해서 '지금 이 정도의 금액 이상 더 저축하는 것에는 이제 의미가 없구나'라는 걸 본인 스스로 느껴야 본격적인 투자를 할 수 있을 것이다.

자 이제 조금 더 구체적으로 가이드를 4가지 단계로 나누어 돈을 버는 루틴을 설명하고자 한다. 그중 key point는 [대괄호] 안에 기재했다.

1. 목적과 목표 설정 [틀 짜기]
2. 통장 쪼개기 [비율 설정 – 포트폴리오]
3. 추가 소득 저축 ['0' 만들기]
4. 돈을 버는 습관 [장학금 및 국가 지원금]

1. 목적과 목표 설정 [틀 짜기]
우리의 목적은 돈 그 이상의 무언가가 있어야 한다. 가정을 소망하는 사람으로서 나는 미래의 내 가정에 경제적으로 어려움을 겪지 않도록 안정적인 가정환경을 제공하고 싶다. 자녀에게 풍족한 지원을 해줄 수 있는 부모가 되고 싶고, 좋은 곳을 가고, 좋은 음식을 먹는 것에 물질적으로 여유가 있는 가정을 이루고 싶다. 그렇게 되기 위해서 집이 필요할 것이며, 자동차가 필요할 것이다. 그뿐만 아니라 매일 발생하는 소득이 있어야 할 것이며, 가정과 함께 보낼 시간적 여유도 있어야 할 것이다. 우리에게 있어 적어도 돈 그 이상의 목적을 설정하는 것이 가장 선행되어야 한다. 그 이후 돈은 자연스레 따라오는 것이기 때문이다. 돈은 철저히 본인의 목적을 위한 수단으로 사용되어야 한다. 돈이 목적이 되는 순간 우리는 밑 빠진 독에 물을 붓는 꼴일 것이다. 아무리 채워도 채워도 우리의 내면의 갈급함을 돈으로 채울 수 없을 것이다. 이를 위해 나는 1화 "졸업하고 뭐해?"에서 내가 좋아하고 사랑하는 것에 대해 다루었다. 내가 전하고자 하는 중요한 메시지이며 이 책을 관통하는 것이 단연 '목적 설정'이다. 그만큼 우리는 돈을 모으는 목적이 중요하다. 끊임없이 비전과 미래 나의 모습에 대해 상상해 보고, 내가 좋아하고 사랑하는 것이 무엇인지 도전해야 한다. 나의 장점이 무엇이며 이를 어떻게 발현시킬 것인지에 대해서도 말이다. 당신은 어떤 목적을 꿈꾸고 있는가?

목적을 설정했는가, 그렇다면 이를 위한 명확한 경제적인 목표가 있어야 한다. 예를 들어, 여유가 있고 풍족한 가정을 꾸리는 것이 목적이라면, 이를 위해 자연스레 집이 필요하고, 차가 필요할 것이다. 구체적으로 4인 가정이 거주할 30평짜리 집과 기동력이 될 튼튼한 차량을 이용하기 위해선 이를 뒷받침할 수 있는 자본이 있어야 한다. 또 본인의 이름을 걸고 사업을 시작하고 싶더라도 그것을 가능하게 할 자본이 있어야 할 것이다. 이처럼 우리에게 필요한 자본금이 본인의 경제적 목표가 되는 것이다. 풍족한 가정을 꾸릴 목적이 있는 사람은 그것을 가능하게 할 집, 자동차 등을 구매할 금액이 그에게 해당하는 경제적 목표가 되는 것이다. 목적과 목표, 정확히 구분하여 우리는 목적을 이루기 위해 정확한 경제적 목표를 세워야 한다.

경제적 목표는 시간이 동시에 수반되어야 한다. 단순히 그냥 목표 금액을 모으는 것으로 경제적 목표를 설정했다면 동기부여가 되지 않을 것이다. 왜냐하면 시간대가 수반되지 않으면 해당 목표의 달성 여부는 계속 늘어지기 때문이다. 우리는 지금 단순히 수년 동안 돼지저금통에 동전 하나씩 넣는, 세월아 네월아 식의 저축을 하는 것이 아니다. 우리는 최단 시간에 경제적 목표를 돌파하고 그 이후 돈이 수단이 되어 목적을 이루며 사는 것을 기대해야 한다. 따라서 30살까지 1억 모으기, 혹은 3년간 1억 모으기와 같이 경제적 목표에 시간은 항상 수반되어야 한다. 장기적으로는 목적을 구체화하면서, 단기적으로는 시간과 함께 경제적 목표를 설정하는 것으로 우리는 매 순간 동기부여를 얻을 수 있을 것이다. 우리가 목적에 도달하기 전까지는 힘들더라도 항상 굶주리고 배고픈 자들처럼 생각하고 행동해야 한다. 느긋한 여유를 부릴수록 우리는 목적에 도달하는 시간이 더욱 늦어질 뿐이다.

목적과 목표를 설정했다면 앞으로 내가 살아갈 삶의 틀을 디자인해야 한다. 예를 들어, 대학을 졸업할 나이에 천만 원을 모으는 목표를 가지고 있다면 매달 얼마를 모아야 할까. 나의 경우 20살에 대학에 와서, 군대 2년을 다녀오고 26살에 졸업을 앞두고 있다. 이 목표를 달성하기 위해서 우리는 먼저 매년 모아야 할 금액을 세분화해야 할 것이다. 군 복무 기간을 제외하고 생각해 보면, 대학에 다니는 4년 동안 천만 원을 나누어야 할 것이다. 1년에 250만 원, 6개월에 125만 원을 저축해야 한다. 또 125만 원을 6개월로 나누어 계산한 21만 원을 매달 저축하면 4년 뒤 1,000만 원을 모을 수 있을 것이다. 매달 21만 원씩 저축하기 위해 매달 내게 출입 되는 돈의 흐름을 계산해야 한다. 한 달 동안 내게 들어오는 금액이 얼마인지, 내가 쓰는 금액이 얼마인지를 알아야 할 것이다. 그리고 내가 지출하는 금액이 내게 들어오는 금액보다 적도록 계산해야 저축할 돈이 남을 것이다. 이를 위해서 우리는 "선저축 후지출"을 습관화해야 한다. 먼저 소비하고 남는 돈으로 저축하는 게 아니라 먼저 원하는 금액만큼 저축하고 남는 돈으로 생활해야 한다. 선저축 후지출은 돈을 모으고 싶다면 가장 먼저 만들어야 하는 습관이다. 정말 신기하게도 내가 돈이 있다고 느끼면 안 쓰던 돈도 쓰게 되고 내가 돈이 없다고 느끼면 한 번이라도 더 아끼는 게 사람의 심리다. 월급 또는 용돈을 받자마자 최소 50% 이상은 저축을 먼저 해보는 것을 추천한다. 충분히 저축한 뒤에 남는 돈으로 생활하는 연습을 해보는 것이다. 돈을 모으고 지출을 줄인다는 것은 정말 큰 용기와 긴 시간의 노력이 필요한 일이다. 내가 살아온 습관을 완전히 바꿔야 하기 때문이다. 처음에는 너무 빠듯하다고 느껴질 수도 있지만 사람은 없으면 없는 대로 다 살아진다. 한정된 예산을 가지고 있다는 생각이 들면 어떻게든 줄일 수 있는 방법을 찾게 된다. 1달에 약속이 5번이었다면 3번으로 줄여보고, 일반 통신요금제를 사용하고 있었다면 알뜰폰 요금제로 바꿔보고, 평소 지출에 외식비의 비율이 높은 편이라면 외식이나 배달 횟수를 줄여보는 것이다. 무언가를 해내고 싶다면 그 일을 해낼 수밖에 없는 틀을 만드는 것 가장 중요한 일이다. 나를 믿는 게 아니라 나의 목적과 목표에 도달하도록 미리 설정해 둔 틀을 믿는 것이다. 우리는 물과 같아서 우리가 디자인한 틀 안에 어떻게든 얼게 되어있다. 선저축 후지출로 돈을 모을 수밖에 없는 강제적인 틀을 만들어 두고 내 소비를 통제하는 연습을 해야 한다. 통제하고 관리하는 이유는 나를 괴롭히기 위해서가 아닌 자신의 목적에 성실히 달성하기 위해서임을 잊지 말자.

2. 통장 쪼개기 [비율 설정 - 포트폴리오]

돈과 통장을 우리의 신체에 비유할 때, 돈은 혈액과 같고, 통장은 심장과 같다. 혈액이 신체에 골고루 분배되어야 온몸 곳곳의 조직이 잘 성장할 수 있는 것처럼, 돈도 우리의 삶에 골고루 잘 분배되어야 경제적으로 건강하게 성장할 수 있다. 이때 심장은 신체에서 혈액을 이동시키는 펌프 역할을 하며, 심장이 뛰면서 생긴 압력에 의해 혈액은 온몸을 순환한다. 통장은 마치 심장과 같은 역할을 하는데, 통장을 통해 돈이 우리의 삶에 골고루 잘 분배될 수 있다. 심장이 튼튼해야 혈액순환이 잘 되듯이, 목적과 목표를 이루기 위해 설정해 둔 틀이 튼튼해야 돈을 모을 수 있다. 이러한 튼튼한 틀을 구축하기 위해 우리는 통장 쪼개기를 해야 한다. 통장 쪼개기란 하나의 통장에 돈을 모아두는 것이 아니라 용도에 맞게 통장을 분리하는 것을 의미한다. 매달 수입이 들어오면 미리 정해둔 비율에 따라서 내 수입을 각 통장으로 옮겨두고 남은 돈으로만 생활하는 것이다. 통장 쪼개기를 하면 매달 저축과 지출에 대한 계획을 세우게 되고 통장별로 돈의 쓰임을 명확하게 파악할 수 있다는 효과가 있다. 나의 돈을 계획하고 통제하는 습관을 만들 수 있게 되는 것이다. 나는 기본적으로, 3개로 통장을 쪼개어 운영하고 있다.

첫 번째로 모든 수입 경로를 통일한 메인 통장이다. 월급, 상여금, 장학금 때에 따라 용돈을 포함한 모든 수입원을 메인 통장으로 유입되도록 한다. 돈이 산발적으로 흩어지게 되면 우리는 돈이 어디에 있는지 전부 기억하지 못한다. 돈을 한곳으로 모으고, 이후 내가 맞춘 틀에 따라 돈을 다른 통장으로 흘려보내는 것이다. 물론 각자의 상황에 따라서 차이가 있을 수 있겠지만, 대략적인 가이드라인을 잡아보면 이러하다. 먼저 자취를 하는 경우, 수입을 기준으로 저축 50% 고정비 30% 지출 20%, 자취를 하지 않는 경우, 저축 65% 고정비 15% 지출 20% 정도를 권한다. 물론 처음부터 완벽한 비율을 찾는 것은 쉽지 않을 것이다. 그러니 일단 대략적인 비율을 세운 후에 한 달 동안 살아보며 비율을 조정하는 것이다. 만약 한 달을 지냈는데 생각보다 여유가 있으면 저축 비율을 조금 더 늘려 보고, 너무 빠듯하다 싶으면 생활비를 조금 더 늘려 보면서 나에게 딱 맞는 비율을 찾는 것이 첫 번째 단계이다.

두 번째로, 저축 상품 통장에 들어간 돈은 가만히 두는 것이 아니라 예금이나 적금에 가입해서 돈을 쓸 수 없게 묶어 두는 것이 중요하다. 4대 보험이 가입된 직장에서 근로하는 경우, 국가에서 제공하는 저축 상품들이 많이 있을 것이다. 특히 청년에 해당하는 경우 특히 가입할 수 있는 저축 상품이 훨씬 많아지는데, 예를 들어 청년 희망 적금, 청년 도약 계좌, 내일 채움 공제와 같은 적금 상품들이 있다. 기존 은행 저축 상품과 달리 우대금리와 정부지원금 등이 더해져서 높은 이자를 받을 수 있다. 만약 해당이 되지 않는다면, 인터넷에 예금, 적금을 검색하여 금리가 높은 상품들을 찾아서 가입하면 된다. 만약 매달 200만 원을 저축한다면, 130만 원은 예금으로 70만 원은 적금으로 가입하는 것을 추천한다. 군이 이렇게 설정한 이유는 급히 목돈이 필요한 경우에 예·적금을 깨야 할 일을 대비하기 위함이다. 조금이나마 리스크를 줄이기 위해서 소액 적금 하나와 고액 예금 하나에 가입하는 것이다. 보통 금리가 높은 적금은 최대한도가 정해져 있다. 금리가 높은 적금은 이자가 높은 대신에 매달 최대 70만 원 정도만 납입할 수 있다. 그래서 70만 원 정도는 적금으로, 나머지 금액은 전부 예금으로 가입하는 방식을 권한다.

세 번째로 고정지출 통장에 입금할 돈은 무조건 최소화해서 확정해야 한다. 변동 지출은 월 생활비 안에서 최대한 절약할 수 있지만, 고정 지출은 매달 일정하게 나가는 지출이다 보니 아무 생각 없이 지나칠 우려가 많다. 저축률을 높이고 돈 모으는 속도를 올리기 위해 우리는 필히 고정지출을 줄여야 한다. 보험료, 통신비, 각종 구독료, 대출 이자 등이 고정지출의 항목에 포함되어 있다. 매달 가계부를 쓰면서 줄일 게 하나 없다고 생각하지만 하나하나 뜯어보면 줄일 수 있는 경로가 너무 많다. 크게 나는 2가지 항목을 집중하여 줄이려고 노력했다. 첫 번째 주거비를 대폭 줄였다. 부산 기장군 달산에서 자취할 때는 전세보증금이 없었기에 월세로 거주했다. 당시 월세 32만 원으로 총 18개월가량 거주했으니, 월세로만 576만 원을 납부했다. 전세보증금이 없었기에 월세로 거주할 수밖에 없었다. 대출이라는 옵션도 있었지만, 당시 어린 마음에 대출을 내는 것에 대한 막연한 두려움이 있었다. 그렇게 18개월이란 기간 동안 매달 32만 원씩 성실히 월세를 납부하고 나서야, 주거비를 줄일 생각을 했다. 이후 나는 포항에 전셋집을 얻었다. 당시 3,000만 원 전세 보증금 중 2,400만 원을 대출했다. 첫 2년은 중소기업 청년 대출 상품으로 한 달에 대략 24,000원의 이자를 납부했다. 이후 재계약 당시 중소기업 청년 대출에서 버팀목 전세대출로 대출상품을 변경했고 현재는 한 달에 50,000원 정도의 이자를 납부하고 있다. 매달 관리비 50,000원을 납부하니, 첫 2년은 매달 75,000원 정도, 이후는 100,000원 정도 주거비로 지출했다. 21년도 5월에 계약하여 현재 38개월째 거주 중인데도 불구하고 현재까지 납부한 금액을 계산하면 320만 원 정도밖에 되지 않는다. 이전에 월세로 18개월 동안 576만 원을 납부한 것에 비하면 엄청나게 절약한 것이다. 물론 최근에 전세사기 범죄가 급증하면서 무턱대고 전세를 계약하는 것도 리스크가 존재하지만, 주거비용에서 최대한 줄일 방안을 생각해야 한다. 두 번째, 휴대전화 요금제와 각종 플랫폼 구독료를 줄였다. 딱히 5G와 같은 비싼 요금제가 필요 없었기에 나는 알뜰폰 요금제로 비용을 절감했다. 월 9,000원짜리 알뜰폰 요금제로 바꾸었는데 3사 통신사처럼 약정이 없어 좋았고, 품질도 가격 대비 상당히 우수하다. 휴대폰을 신품으로 사면서 고액 요금제를 할부로 결제하면 한 달에 7~8만 원은 우습게 나간다. 이를 알뜰폰 요금제로 바꾸어 고정 지출을 줄였다. 또한 자취할 때 쿠팡 와우 회원을 종종 사용했지만, 해지하고 나니 쓸데없는 변동 지출이 줄어들었다. 쿠팡 와우 회원의 혜택을 누리기 위한 불필요한 지출도 줄일 수 있었다. OTT 플랫폼 구독료는 공유구독으로 납부 금액을 낮췄다. 넷플릭스 프리미엄을 활용해 3명의 파트 원을 모집했다. 유튜브 프리미엄 또한 가족 공유로 사람들과 함께 사용하여 비용을 절감했다. 애플 Icloud도 가족 공유로 싼값에 저장공간을 늘렸다. 이렇게 고정지출을 줄이기 전 80만 원 정도의 금액이 25만 원대로 줄었다. 무려 68.75%나 절감한 셈이다. 이로써 월 55만 원을 추가로 저축할 수 있게 되었다. 1년으로 계산하면 660만 원에 달하는 수준이다. 왜 진작 고정비를 손보지 않았을까 후회도 되지만, 과거는 지나갔으니, 앞으로 잘하면 된다. 고정지출 리스트를 적어보고 줄일 데가 있는지 살펴야 한다. 이때 말만 고정지출인지, 정말 꼭 필요한 고정지출인지도 확인해야 한다. 넷플릭스 같은 경우는 없어도 잘 살 수 있다. 넷플릭스 볼 시간에 책을 읽는 게 더 유익하다. 편리함의 노예가 되어 속고 있는 건 아닌지 고정지출을 하는 심리에 대해 끊임없이 돌아봐야 한다. 큰맘 먹고 해지

해도 아무 일도 일어나지 않는다. 너무 불편해서 삶의 질이 떨어진다면 다시 구독하면 된다. 이에 대하여 4화 '당신의 소비는 결핍인가, 투자인가'에서 조금 더 자세히 다루어 보겠다.

3. 추가 소득 저축 ['0' 만들기]

선저축 후지출을 습관화하고, 본인에게 맞는 틀을 짜더라도 목표금액을 달성하기란 쉽지 않을 것이다. 이를 더욱 빨리 실현하기 위해 우리는 추가 소득을 모두 저축해야 한다. 공장을 다닐 때, 다른 산업기능요원들에 비해 상여금을 꽤 많이 받는 편이었다. 일 년에는 2번가량 설날과 추석으로 크게 200만 원 정도의 상여금을 지급받았는데, 이 추가 소득을 내가 지출할 돈으로 인식하지 않는 것이다. 통장잔고가 늘어난 값을 우리는 원래 상태인 '0'으로 만들어야 한다. 사실 평소보다 월급과 상여금을 더 지급받으면 돈을 쓰고 싶은 것이 너무나 당연한 사람 마음이다. 앞서 말했듯이 사람은 돈을 가진 만큼 쓰기 마련이다. 특히나 일을 많이 한 달이라면 괜한 보상 심리를 사고 싶었던 것을 지르고 싶은 마음이 들 수 있다. 하지만 나는 오히려 반대로 생각했다. 내가 힘들게 일을 해서 번 돈인데 이렇게 번 돈을 한순간에 쓰는 게 맞을까? 라는 생각이 들었기 때문이다. 그래서 나는 항상 기본급을 기준으로 추가로 들어오는 수입이 있다면 그 추가 수당은 무조건 바로 저축했다. 직장생활을 할 때도 그러했고, 학생으로서도 혜택을 받은 장학금도 모두 저축했다. 통장에 얼마나 더 찍히든 추가 수당은 무조건 저축하여 '0'을 만드는 연습을 해야 한다.

4. 돈을 버는 습관 [장학금 및 국가 지원금]

우리는 돈을 소비하는 습관이 아닌 돈을 벌어들이는 습관을 지녀야 한다. 이는 2화 '시간이라는 재화'에서 다루었던 내용이다. 우리는 돈을 벌어들이는 능력을 갖춰야 한다. 본인이 대학생일 경우, 가장 쉽게 도전할 수 있는 것은 공모전과 장학금일 것이다. 일반적인 대학생이 받을 수 있는 장학금은 크게 3가지로 나뉜다. 첫 번째는 국가장학금, 두 번째는 교내 장학금, 세 번째는 외부 장학금이다. 첫 번째 국가 장학금은 은행에서 공인인증서를 발급받고 한국장학재단에 접속해서 장학금을 신청하면 소득 분위별로 받을 수 있다. 두 번째 교내 장학금은 크게 2가지로 나뉘는데, 학과별 수석 차석 등 공부 잘하는 학생들에게 주는 성적 우수 장학금과 기초생활수급자, 차상위 계층 등 가정 형편이 어려운 학생들에게 주는 생활비 장학금이다. 교내 장학금은 학교마다 선정 시기와 선정 방법 등이 상이하기 때문에 재학 중인 학교의 장학 관련 홈페이지를 참고해서 신청하면 된다. 마지막으로 외부 장학금은 크게 두 가지로 나뉜다. 첫 번째는 각 시도 지자체에서 주는 지역별 장학금이다. 지역별 장학금이란 그 지역 출신 대학생들에게 주는 장학금이다. 간혹 다른 지역 출신이지만 해당 지역에 있는 대학교에 다니는 학생들에게 주는 경우도 있다. 나의 경우 부산 출신으로 포항에 있는 학교에 다니고 있어서 부산시민 장학회와 동래 장학재단, 그리고 포항 장학재단에서 장학금을 받을 수 있었다. 참고로, 지역별 장학재단은 전국에 200여 개가 있으며, 심지어 군 단위로도 있다. 지역별 장학금은 1회 지급인 경우가 대부분으로, 장학생으로 선발되면 100만 원에서 300만 원 정도의 장학금을 한 번만 지급받는다. 지역별 장학금은 일반적으로 1년에 한 번만 선발하기에 신청 기간이 짧다. 따라서 장학금을 받으려면 대략적인 선발 시기를 미리 알아 두어야 한다. 나머지 외부 장학금은 기업장학금이다. 기업별로 장학재단이 많다. 예를 들어, 삼성 꿈 장학재단, 현대차 전문구재단, 미래에셋 박현주재단, 롯데 장학재단 등이 있다. 기업에서 지급하는 장학금은 기업마다 차이가 있지만, 대부분 한번 선발되면 졸업까지 등록금 전액을 지원해 주며 한 학기마다 200만 원에서 300만 원의 학습보조금을 주는 재단도 있다. 많은 학생이 '우리 집은 돈 많아서 안 될 것 같은데', '나는 공부 못해서 안 될 것 같은데'라고 생각할 수 있다. 그러나 집에 돈이 많아도, 공부를 못해도 받을 수 있는 장학금은 분명히 있다. 조건도 중요하지만, 외부 장학금은 순전히 정보 싸움에 가까울 정도로 이를 찾아내는 능력을 더욱 요한다. 이를 위해서 학교 홈페이지의 장학 관련 공지 사항을 숙지해야 한다. 예를 들어, 본인이 재학 중인 대학교의 홈페이지 공지 사항 장학 탭에 들어가면 수시로 업데이트되는 외부 장학금 정보를 찾을 수 있다. 또한 드림스폰 사이트에서도 현재 모집 중인 외부 장학금 정보를 쉽게 얻을 수 있다. 그뿐만 아니라 한국장학재단 사이트에서도 외부 장학 정보를 얻을 수 있다. 이외에도 스펙업, 독취사와 같은 여러 블로그나 카페, 다양한 사이트에서 확인 가능하다. 이렇게 나는 대학 시절 29,349,000원의 장학금을 혜택받았다.

장학금과 더불어 우리는 국가에서 지원되는 지원금도 적극적으로 활용해야 한다. 지원금을 가장 쉽게 찾아볼 방법으로 정부 24 사이트를 활용하는 것이 있다. 해당 사이트에 접속하여 소득금액 구간을 선택한다. 이후 개인 특성 정보에서 자신의 직업과 가구 특성 정보를 선택한다. 그렇게 설정된 데이터를 토대로 본인이 신청할 수 있는 여러 가지 지원금과 바우처, 생계 지원 서비스 등을 조회할 수 있다. 개인적으로 토스 앱을 잘 활용했지만, '숨은 정부 지원금 찾기' 서비스가 2024년도 8월에 종료된다고 한다. 하지만 토스에서 이후에 새로운 서비스를 출시 예정이라고 하니 지속적인 관심을 두고 있어야 한다. 내가 혜택받은 정부지원금의 종류는 적금과 전세대출, 실업급여 및 구직활동 급여 등이 있다. 청년희망적금을 만기 수령했으며, 현재는 청년 도약 계좌 상품을 사용하고 있다. 중소기업 청년 전세대출과 버팀목 전세대출을 통하여 2,400만 원가량의 전세금을 저렴한 이율로 이용하고 있다. 공장에서 퇴사하고 실업급여를 수령했으며, 최근 국민취업지원제도를 활용하고 있다. 그뿐만 아니라 포항에 전입하면서 포항 시청에서 매달 10만 원가량의 지원금을 받았다. 이로써 나는 2,360만 원가량의 지원금을 수령했다. 황당무계할 수 있으나 나는 20살 이후 6년간 장학금과 정부 지원금을 대략 5,290만 원을 수령했다. 이는 26개월간 공장에서 근로하여 벌어들인 소득보다 1.5배 많은 금액이다.

위 4가지 방안은 내가 직접 경험하며 중요하다고 생각한 것을 가이드한 것이다. 이를 토대로 본인에게 맞는 방안을 연구하고 접목하여 돈으로도 살 수 없는 습관을 기르는 데 도움이 되었으면 한다. 그럼, 돈은 자연스레 따라온다.

적용점

10. 당신은 어떤 목적과 경제적 목표를 갖고 있나요?

_____

_____

_____

_____

_____

_____

11. 본인이 짠 통장 틀에 대해 설명해주세요.

_____

_____

_____

_____

_____

_____

12. 고정 지출 중에서 가장 높은 비율을 차지하는 부분은 무엇이며, 이를 어떻게 줄일 계획인가요?

_____

_____

_____

_____

_____

_____

_____

당신의 소비는 결핍인가, 투자인가

2022.03
24살, 대학생

제5화 당신의 소비는 결핍인가, 투자인가

    내가 지금 관리하는 돈은 지금 나한테 다 쓰라고 주어진 돈일까? 아니, 미래의 나와 함께 써야 하는 돈을 현재의 내가 맡아서 관리하는 것이다. 그렇다면 책임감 있게 공금처럼 관리를 해야 하는데, 당신은 편하게 쓰고 있진 않은가. 미래의 내가 과거의 나로 인해 궁핍한 삶을 살지 않도록 우리는 현재 준비를 해야 한다. 돈 관리에서 특히 소비는 우리 삶에 직관적으로 나타난다. 당신의 소비는 결핍인가, 투자인가. 우리는 앞서 나의 목표와 목적, 그리고 자산을 형성하기 위한 마음가짐에 대해 다루었다. 나의 장점을 살려 소득을 올릴 방법은 너무나 다양하다. 이처럼 돈을 버는 것에 우리가 신경을 쏟았다면, 돈을 소비하는 것에도 각별한 신경을 써야 한다. 우리는 먼저 소비심리에 대해 면밀히 관찰해야 한다. 소비하는 마음을 쫓다 보면 순전한 본인의 욕구에 다다른다. 내 내면의 욕심을 볼 수 있고, 아픔을 볼 수 있고, 트라우마를 볼 수 있다. 일례로 어떤 이들은 본인 외모의 부족함을 채우기 위한 이유로 미용이나 성형을 한다. 또 다른 이들은 경제적으로 부족한 것을 숨기기 위해 명품으로 치장한다. 물론 모든 사람에게 일반화할 수는 없지만, 이러한 맥락으로 돈을 모으기 전 먼저 자신의 소비 심리에 대해 면밀히 지켜봐야 한다. 공허한 마음은 소비라는 행위로 절대 채울 수 없기 때문이다. 개인의 욕구는 소비가 아닌 직관적인 방법으로 해결해야 한다. 만약 본인의 외모가 부족하다고 느끼는 사람은 성형과 화장으로 외모를 바꾸는 것이 아닌 운동 및 식단 자기 관리를 하는 것이다. 또는 경제적으로 부족함을 느끼는 사람이 있다면 명품으로 치장하여 가난을 숨기는 것이 아닌 성실한 근로를 통한 수입을 늘려 가난을 극복하는 것이다. 처음엔 어렵고 막막하더라도 내가 가진 욕구에 대해 올바르게 마주 보고 대처하는 것으로 얻는 자존감은 돈을 소비하여 주변에서 관심을 받아 형성된 자존감과 분명히 다르다. 사람마다 소비하는 영역은 다양하겠지만, 나의 경우에는 식비에 가장 많은 돈을 소비했다. 자취를 하며 한 달에 식비로 30만 원 내외로 지출했다. 하루에 만 원이면, 딱히 과한 소비라고 생각되지는 않지만, 줄일 수 있다면 충분히 줄일 수 있다. 내 소비의 끝, 나의 마음을 되돌아보면 '게으름'이 있다. 바쁜 학기 중에는 편하게 음식을 시켜 먹거나 간식을 자주 사 먹었다. 그러나 나는 음식점을 창업할 사람이 아니기에 굳이 매일 배달을 시킬 필요가 없다. 배달 상품과 서비스를 분석할 필요가 없기 때문이다. 그 말은 즉 한 달 지출 중 가장 큰 비중을 차지하는 배달 식비는 나의 목적과 목표를 위한 소비가 아니다. 귀찮고 게을러서 생기는 일이다. 그렇게 나는 돈을 절약하고 모으기 위해선 나의 가장 큰 소비 명세인 식비를 줄여야 한다고 생각했고, 이에 대한 적절한 대안으로 도시락을 싸서 다니거나 집에서 요리하는 것이 올바른 대안이라 생각했다. 그렇게 나는 집에서 요리와 제빵을 시작했다. 집에서 요리한 음식으로 도시락을 챙겨 학교에서도 먹었다. 물론 귀찮고, 매번 비슷한 음식을 먹는 것에 질렸다. 정말 음식이 질릴 때 친구들과 한 번씩 배달 음식을 시켜 먹었다. 오히려 이전에 주기적으로 배달로 시켜 먹을 때보다 가끔 배달 음식을 먹는 것이 이전보다 더욱 만족스러웠다. 이를 통해 식비를 대폭 줄일 수 있었다.

당신은 마음에도 없는 사람에게 돈을 쓰는가? 아마 그렇지 않을 것이다. 이 질문은 돈에 대한 접근을 투자의 영역으로 바라보게 만든다. 이런 사고 회로는 내가 무엇을 중시하고 있는지를 알 수 있게 한다. 두 가지 예시를 들어보겠다. 첫 번째, 학교나 공장에서 프로젝트 회의를 끝내고 약간의 실망을 느낀다고 가정해 보자. 그렇게 같이 프로젝트를 진행한 사람들과 스트레스를 풀기 위해 회식을 하러 간다. 내 머릿속에서는 스트레스를 푸는 방법으로 먹고 즐기는 것이 떠오를 것이다. 그렇지만 이런 사고 회로는 오랫동안 남지 않는다. 사람들과 회포를 풀기 위한 방안으로는 좋은 대안이 되겠지만, 올바른 소비의 관점으로 보았을 때는 아니라는 것이다. 두 번째, 날이 좋아서 친구에게 갑작스럽게 선물을 준비한다. 빵을 구워서 주거나, 음식을 대접할 수 있다. 친구와 이야기하면서 기분 좋게 돈을 쓴다. 기분이 좋아지면서 친구에게 선물을 해주는 것은 좋은 경험이 될 것이다. 같은 돈을 소비하더라도 소비의 이유와 마음가짐에 따라 큰 차이를 보인다. 표면적으로는 몇만 원일지라도, 그 속에 담긴 마음과 돈을 바라보는 시각은 1,000만 원, 아니 당신의 전 재산을 다루는 태도일 것이다. 당신의 소비는 결핍인가, 투자인가? 나의 결핍을 소비로 메꿔왔다면 앞으로 좋은 의미가 있는 곳에 돈을 소비하는 습관을 기르자. 나의 결핍으로 지출되는 소비는 절제하되, 좋은 곳에 돈을 소비하는 따뜻한 마음은 있어야 한다. 간혹 주변인 중에 절약한답시고 지지리 궁상을 떠는 사람이 있다. 분명한 것은 본인의 마음을 절제하고 관리하는 것으로도 충분하다는 것이다. 남에게 나의 잣대를 들이미는 것이 아니라 나를 철저히 관리하기 시작하면 주변에서도 자연스레 느낀다. 굳이 말과 행동으로 보이지 않아도 주변에서 철저하게 본인 관리하는 사람에게 있어서 조심한다는 것이다. 나를 단련하는 자세로 살아감에도 불구하고 나에게 무리한 요구를 하는 사람이 있는가, 그렇다면 그 사람은 멀리하는 것이 좋다. 남의 도전과 헌신에 비관적인 사람은 본인 삶에 있어서 성취를 경험해 보지 못했을 확률이 높다. 본인 인생에서 작은 성공이라도 경험한 사람, 그리고 그것을 쟁취하기 위해 끊임없이 노력해 본 경험이 있는 사람은 결코 남의 도전과 노력을 무시하지 못한다. 오히려 격려할 것이며 도전하는 당신으로부터 동기부여를 받아서 본인 삶에 적용할 것이다. 그러니 우리가 목적을 이루기 위한 경제적 목표에 도달하기 위해서 절약하고 노력하는 것을 주변의 시선 때문에 주저하지 말자. 이번 화에 다룰 것은, 소비다. 삶의 질이 좋아지면서 현대인들의 소비는 어느덧 자랑거리가 되고 본인의 자존감이 되기도 한다. 이에 대한 소비의 역사와 사회적 현상에 대해 이해하는 것이 중요하다.

미국에서 1960년대 2가지 일이 일어난다. 첫 번째, 일반 노동자들의 생활 수준이 엄청나게 올라가기 시작하면서 중산층의 수준이 높아졌다. 두 번째, 부자들만 즐기던 고가의 수제 상품들이 대량 생산된 물건보다 질이 안 좋아지기 시작했다. 이에 부자들과 가난한 사람들이 비슷한 브랜드를 쓰는 굉장히 특이한 시대가 도래했다. 예를 들자면, 1920년대의 부자들은 시가를 피고, 일반 사람들은 궐련 담배를 피웠다. 시간이 지나 1960년대가 되면서부터 부자도 궐련 담배를 피고 일반 사람들도 궐련 담배를 피우는 일명 'Middle Class Life Style squeeze'라 불리는 현상이 나타났다. 대량생산 시스템의 등장으로 상류층의 라이프가 사라지면서 상류층과 중산층의 경계가 모호하게 되었다. 동시에 노동자 계층의 삶 또한 향상되면서 노동 계층과 중산층과의 경계선도 모호해졌다. 이렇게 1960년대 대부분의 사람이 비슷한 라이프 스타일을 갖게 된 것이다. 이는 사람들의 기대치를 통일시켰다. 비슷한 일례로 과거 영국의 일반적인 노동자 계층은 축구에 열광하는 반면에 영국의 귀족 계층은 폴로라는 스포츠를 좋아한다. 당시 축구를 좋아하는 노동 계층 사람들은 굳이 내가 돈이 있다고 하더라도 폴로 게임을 즐길 생각하지 않는다. 왜냐하면 일반 노동자와 귀족의 라이프 스타일 자체가 다르기 때문에 폴로 자체에 관심이 없다는 것이다. 근데 어느 시점으로부터 영국의 문화가 변하면서 계층과 상관없이 모든 사람들이 축구에 열광하기 시작한다. 이는 사람들의 기대치를 통일시켰으며, 서로의 삶을 비교하기 시작한다. 누구는 토트넘 홋스퍼 스타디움에서 손흥민을 직접 보는데, 정작 나는 스마트 폰으로 생중계를 보고 있다는 것을 인식하고 서로를 비교하기 시작한다. 이에 따라 과시 소비 또는 유사 소비와 같은 일종의 남들의 소비를 따라 하는 습관이 생기기 시작했다. 1960년대가 이러한 부분에서 취향이 나뉘어 서로의 삶에 관심이 없는 시대였지만, 사람들의 기대치가 통일되며 라이프 스타일이 공유되다 보니 남들과 비슷한 소비를 해야 한다는 기대치가 생겼다. 현대에 접어들며 자신의 삶을 공유하는 SNS가 발전하기 시작했고,

나의 삶을 공유하는 것이 하나의 트렌드가 되었다. 누군가를 만나기 전 SNS를 통하여 어떤 사람인지 파악하는 것은 이제 더 이상 특별한 일이 아니다. SNS 속 주변인들의 화려한 삶과 자기 자신을 비교하기 시작하고, 나 또한 뒤처지지 않기 위해 소비를 과시하고 공유하기 시작한다. 인당 몇만 원에서 몇십만 원까지 가는 오마카세, 호텔로 휴식을 하러 가는 호캉스, 부의 상징인 명품들, 큰돈이 나가는 비싼 밥, 비싼 숙소, 비싼 물건들은 말 그대로 부의 상징이었다. 당연히 경제력이 없는 10대, 20대, 그리고 사회 초년생인 30대 초반이 소비할 만한 것들이 아니었다. 하지만 SNS 속, 혹은 길거리를 지나가다 보면 명품 백을 들고, 호캉스를 가거나 오마카세를 먹으러 가는 젊은이들을 쉽게 볼 수 있다. 이들은 부유한 가정이라 혹은 젊은 나이에 성공해서 이런 것들을 누리는 걸까? 혹은 2~30대 중, 돈 많은 소수만 여유를 누리는 것뿐인데 언론과 매체에서 과대 포장을 하는 걸까?

모건 스탠리의 자료에 따르면 2022년 한국인 명품 소비 지출액은 168억 달러, 한화 약 20조 8천억 원으로 집계됐다. 이를 국민 1인당 평균으로 환산하면 325달러, 한화 약 42만 원이다. 생각보다 적은 돈이라고 생각할 수도 있지만 다른 나라와 비교해 보면 그렇지 않다. 미국은 1인당 280달러, 중국은 1인당 55달러다. 세계에서 가장 잘 사는 나라인 미국보다 1인당 명품 소비액이 높은 것이다. 일례로 프라다는 2022년도 중국 매출 부문이 7% 이상 감소했지만, 한국 매출로 대부분의 손실을 만회했다고 한다. 그뿐만 아니라 시장 조사업체에 따르면 2020년 코로나 발생 당시 전 세계 명품 매출이 평균적으로 19% 감소하였지만, 한국의 명품 매출은 거의 줄지 않았다고 한다. 오히려 이탈리아의 고급 명품 브랜드 몽클레르의 경우 2020년 한국 매출이 코로나 이전에 비해 2배 이상 증가하였으며, 까르띠에와 피아제를 소유한 리치먼드에 따르면 지난해 매출이 전년 대비 두 자릿수 증가한 거의 유일한 지역이 한국이었다. 반면에 폴란드에서 교환학생으로 파견됐을 당시 유럽인들은 확실히 한국보다 명품을 갖고 다니는 사람들이 적다는 것을 느꼈다. 유럽에서 대중교통을 타고 다니다 보면 명품 가방, 명품 신발을 착용한 사람들이 한국에 비해 아주 적은 편이다. 유럽 대부분의 사람은 한국인 기준에서는 편하게 입고 다닌다. 그런데 한 가지 눈에 띄는 점은 외부인들의 경우 공공장소에서 명품으로 치장하고 다니는 경우가 많았다. 물론 유럽 현지인이라고 해서 명품을 갖지 않는다는 것, 이민자라고 모두가 명품으로 치장하고 다니는 건 아니다. 그럼에도 길거리에 마주치는 명품을 든 대부분의 사람은 동아시아, 중동, 러시아계 이민자들이 압도적으로 많다. 일례로, 미국의 명품 회사 매니저들 사이에서는 "명품 샵을 어디다 오픈할지 모르겠다면 아시아계 미국인들 많이 다니는 곳을 표적으로 삼아라."는 농담이 있다. 그만큼 아시아계 미국 이민자들이 미국 명품시장의 주요 고객이라는 것이다. 미국에서는 아시아계뿐만 아니라 남아메리카 쪽에서 이주해 온 사람들도 소득 수준에 비해 명품 소비를 굉장히 많이 하는 편이라고 한다. 그렇다면 이민자들은 왜 그렇게 명품 소비를 많이 하는 걸까? 여기에 대해 생각해 보는 것을 통하여 사람들이 광적으로 명품 소비를 하는 심리에 대해 잘 이해할 수 있을 것이다.

경제학 논리에 의하면 수요와 공급의 법칙이 있어서 물건값이 비싸질수록 물건을 구매하는 사람들이 더 적어지고, 물건값이 싸질수록 물건을 구매하는 사람들이 더 많아진다. 그런데 경제학자 베블런은 어떤 품목에 대해서, 특히 사치재 같은 경우 물건값이 비싸지면 오히려 사람들의 구매가 더욱 증가하는 것을 발견했다. 그는 사람들이 더 많은 가격을 지불하는 행위 자체로 우월감을 느끼기 때문에 구매한다고 판단했다. 그렇다면 사람들은 왜 우월감을 느끼려고 하는 것이며, 어떨 때 우월감을 느끼게 되는 걸까. 우월감은 안정감과 연결되어 있다. 결국 우월하지 않다고 느낀다는 것은 본인이 다른 사람들보다 열등하다고 느낀다는 것이고, 그 상황이나 그 집단 안에서 본인이 불안하다고 느끼는 것이다. 반면에 본인이 다른 사람들보다 우월하다고 느낄 때 본인이 속한 사회나 집단 안에서 안정감을 느끼게 된다. 그래서 결국 소속된 사회나 집단에서 본인이 남들보다 열등하다고 느끼는 사람들이 비합리적인 명품 소비를 한다. 이는 심리적인 안정감을 느끼기 위해서 명품을 소비하는 행위로 이어진다는 것이다. 이러한 관점에서 타국에서 건너온 이민자들이 명품으로 과소비하는 것 또한 명품을 통해서 우월감을 느끼고, 심리적 안정감을 찾는 과정일 것이다. 이를 한 연구에서 정의하길, '민족적 정체성의 강도'에 따라 명품 소비가 이어진다고 했다. 쉽게 말해, 자신이 원래 속해 있는 민족에 얼마나 소속감을 느끼는지, 더 나아가 본인이 얼마나 자신의 정체성을 파악하고 있는지에 따라서 그들의 소비가 나뉜다는 것이다. 예를 들어, 미국으로 이민 간 한국 사람이라면 그가 한국인으로서 느끼는 정체성이 강할수록 명품을 소비할 확률이 높다. 영국에서 한국으로 건너온 사람일 경우, 마찬가지로 본인이 영국 사람이라고 느낄수록 명품 소비를 많이 한다. 한마디로 개인의 정체성과 본인이 속한 집단의 정체성에 이질감을 느낄수록 명품을 소비하는 경향이 더 많이 나타난다는 것이다. 사회 안에서 자신의 정체성에서 이질감을 느낀다는 것은 그만큼 자신이 사회 구성원으로 받아들여져 있다는 인식이 약할 것이다. 그만큼 사회 안에서 자신이 불안한 존재라고 느낀다는 것이고, 그럴수록 사람들은 명품으로 자신의 지위를 보여주는 것으로 자신의 사회적 지위와 소속감과 안정감 등을 찾으려고 한다.

명품 소비를 통해서 자신의 사회적 지위를 찾고, 자신을 안정시키고 싶어 하는 성향이 강한 것에는 여러 가지 이유가 있을 수 있다. 사회적으로 다른 사람들의 시선을 많이 의식하고, 자신을 둘러싼 사회의 기대나 눈치를 많이 보는 문화적 배경도 있을 것이다. 또 한국 사회는 어느 정도 경제적인 여건이 좋기 때문에 명품 소비를 할 수 있는 여유가 있다. 또, 한국 사회는 교육

열이 높고 경쟁이 치열한 사회이기에 경쟁 속에서 명품 소비를 통하여 자신의 지위를 확인하고자 하는 욕구가 강할 수밖에 없다. 명품 소비가 개인적인 선택이나 취향으로 볼 수도 있지만, 결국에는 그 사회의 문화적, 경제적, 심리적 요소들이 결합한 결과라고 생각한다. 한국의 명품 소비는 이전부터 꽤 있었으나, 소비층이 바뀌면서 소비량이 급격하게 상승하기 시작했다. 4050 세대가 국내 명품시장의 주요 소비층이었다. 하지만 코로나 시기인 2021년을 지나며 2030 세대가 4050 세대를 앞지르기 시작했다. 2021년 현대백화점의 매출로 예를 들자면, 현대백화점 전체 명품매출 가운데 2030 세대가 차지하는 비중이 48.7%다. 더 이상 명품은 경제적 자유를 이룬 이후 누리는 사치품이 아니라 사회 초년생이 착용하는 하나의 아이템이 된 것이다. 이들은 돈이 많아서 사치를 부리는 것은 아니다. 왜냐하면 대한민국에서 지난 3년간 가계부채가 가장 많이 늘어난 계층이 2030 세대이기 때문이다. 무리하게 빚을 늘린 2030 청년층의 대출이 전체 가계부채 3분의 1에 다다르고 있다. 유행처럼 번졌던 빚투와 영끌도 부채에 한몫했으나, 명품을 비롯한 사치가 영향을 끼치지 않았다고 할 수는 없다. 빚까지 내서 명품을 사고, 해외로 여행을 가는 것이 더 이상 특별한 일이 아니다. 확실한 건 2030 세대의 소비가 본인의 소득에 비해 과하다는 것이다. 꽤 오래전부터 오마카세와 호캉스, 해외여행은 2030 사이에서 유행처럼 번지고 있다. 심지어 지금의 청년층은 일도 구직활동도 하지 않는, 그냥 '쉬는' 청년들이 70만 명에 육박하는 시대로 구직난에 박차를 가하는 상황인데도 말이다.

그런데도 청년층들이 과소비하는 이유는 뭘까? 가장 근본적인 첫 번째 원인은 돈을 과하게 쓰는 것에 대한 인식이 나쁘지 않다는 것이다. 글로벌 컨설팅 기업 조사에 따르면 부를 과시하기 위한 명품 구입이 나쁘다는 것에 대한 인식은 일본이 45%, 중국이 38%인 것에 비해 한국 사람들은 22% 정도로 비교적 낮게 나타났다. 아무리 노력해도 집 한 채 사기가 힘든 시대적

상황은 청년들이 본인을 위해, 혹은 경험을 위해 과소비를 하는 것이 나쁘지 않다는 분위기가 형성되어 있다. 두 번째 원인은 SNS의 확산과 과시 욕구이다. 한국 서비스 경영학회가 2021년에 발표한 논문 '소셜미디어 속 타인의 과시적 소비에 대한 소비자 반응 연구'에 따르면 SNS 사용 시간이 높아지면서 과시적 소비를 통해 자신의 정체성을 타인에게 알리려는 욕구가 높아졌다고 한다. 과시적 소비란 타인에게 부, 지위와 관련한 이미지와 사실을 표현하기 위한 상징적 소비 행동을 뜻한다. 일례로 자신의 재력과 능력을 보이기 위해 수천만 원짜리 가구나 옷을 구매하거나 교양 있는 사람처럼 보이기 위해 듣지도 않은 클래식 음반을 수집하는 것이 있다. 본인의 인생을 과시하고, 관심을 공유할 수 있는 SNS의 등장으로 이러한 현상이 더욱 심해졌다. SNS를 통해 타인의 생활에 간접적으로 접하다 보면 모방 소비 욕구도 자극된다. 유튜브에도 많이 올라오는 20대 초반의 외제 차를 사는 카푸어도 비슷한 맥락이다. 세 번째 원인은 보복 소비다. 보복 소비란 코로나처럼 재난과 같은 외부 요인 때문에 억제되었던 소비가 마치 보복하듯 한꺼번에 분출되는 현상을 말한다. 인천공항을 가보면 사람들이 평일, 주말 시간을 가리지 않고 미친 듯이 많다. 소비자들은 생필품보다는 사치나 기호품을 사들이며 재난으로 참아야 했던 억제를 풀고 있다. 서울시민 1,200명을 대상으로 진행한 조사에 따르면 서울시민 4명 중 1명은 보복 소비 경험이 있다고 응답했다. 실제로 사회적 거리 두기가 해제되면서 백화점 매출과 호텔 등 사치라고 불리는 것들의 소비가 2~3배 증가한 것으로 알려졌다. 서울연구원이 보복 소비 경험이 있는 사람에게 보복 소비 이유를 묻자, 가장 큰 이유는 우울해진 마음에 대한 보상 심리였다. 이렇게 대다수의 청년이 과소비하기 시작하면서 일각에서는 과소비를 하나의 새로운 문화로 받아들이는 인식도 있다. 과소비가 아닌 자신의 가치관과 신념을 나타내고자 하는 가치 소비로 보는 것이다. 다양한 경험에 대한 욕구가 강한 2030 세대에게 오마카세와 호캉스, 해외여행 등은 과소비가 아닌 미래를 위한 현명한 소비라는 것이다. 하지만 이게 가치 소비가 되기 위해선 요리사의 꿈이 있는 사람이 오마카세를 가야 가치 소비이다. 혹은 숙박업 사업에 꿈이 있는 사람이 호캉스를 하며 상권을 분석하는 것이 가치 소비일 것이다. 정말 청춘의 경험과 추억이 중요하다면 SNS에 올리기 위한 과시적 소비가 아닌 자신이 원하는, 자신에게 필요한 것들에 돈을 써야 한다.

그런데 생각해 보면 자기가 일하고, 혹은 빚을 져서 돈 쓰겠다고 하는데, 옆에서 뭐라고 하는 것도 역설이다. 자기 인생 자기가 알아서 하겠다는데 뭐가 문제인 걸까? 문제는 과소비로 인해 형성되는 계층의, 세대의, 국가의 분위기일 것이다. 과소비는 평범한 이들에게 큰 부담이 된다. 사회 진출 초기의 과소비로 인한 빚 부담이 과도하게 커지면 삶 전반의 소비가 제약되기 때문이다. 빚을 갚아야 하니 시야가 좁아질 수밖에 없다. 2~30년이 지나 이들이 중산층이 될 시기에 노동과 국가 재정의 주축이 되어야 하는데 빚만 떠안은 가난한 세대가 되어버리는 것이다. 현재 대한민국 저출산으로 인해 다음 세대보다 비교적 인구가 많은 지금의 20 30 세대 대부분은 사상과 신념과는 별개로 현재 본인이 처한 현실이 벅차기 때문에 국가의 미래보다는 본인이 처한 현재에 초점을 두고 있다. 어쩌면 다음 세대는 노인이 아닌 4050 세대를 부양해야 할 수도 있다. 돈을 많이 버는 사람이 돈을 쓰지 않는 것도 문제이지만, 돈을 버는 것보다 더욱 과소비하는 문화가 사회에 퍼지면 결국 인플레이션이 유발되고 화폐 가치 하락으로 이어진다. 또한 명품과 같이 외국 상품에 대한 지나친 소비는 자국 통화 가치가 떨어뜨리고 국가 신용도를 하락시킨다. 그렇기에 우리는 소비에 있어 각별한 신경을 써야 한다. 우리가 앞서 세웠던 목적과 목표를 이루기 위해 우리에겐 분명한 경제적 도약이 필요하다. '부자'라는 단어의 어감이 부정적일 수 있으나, 우리는 경제적 자유를 멋지게 이뤄낸 부자의 반열에 들기 위해선 충분한 대가를 지불해야 한다.

가난은 부모로부터 대물림되는 속성이 있다. 이를 생물학적으로 표현하면 유전일 것이다. 애석하게도 가난은 유전이라는 것이다. 여기서 말하는 가난은 단순히 자녀에게 증여할 수 있는 부모의 재산 정도를 말하는 것이 아니다. 자녀에게 평소 비치는 부모의 생활 소비 습관, 돈을 대하는 자세가 대물림된다. 사람들은 왜 가난해질까, 가난에서 벗어나려면 무엇을 해야 할까. 이를 후성 유전학 개념으로 설명하고자 한다. 후성 유전학이란 부모에게 물려받은 염색체 속 유전자 자체를 바꿀 수 없지만, 여러 가지 환경적 요소에 의해 유전자의 발현 정도는 달라질 수 있다는 학문이다. 이와 같이 가난도 살면서 후천적으로 수정될 수 있고, 노력에 따라 가난의 발현양상도 달라질 수 있다는 것이다. 따라서 부모로부터 물려받은 가난을 나의 대에서 끊으려면 뼈를 깎는 노력이 필요하다. 그렇다면 가난은 어떤 부분에서 우리의 삶에 영향을 줄까? 가난은 우리의 시야를 좁히므로 잘못된 선택을 할 가능성이 높인다. 또한 주변 환경에 따라 선택이 제한되는 경우가 많다. 한 연구에 따르면, 돈이 없어 교육을 받지 못한 사람일수록 사회, 경제적 지위가 인간 유전자의 발현 정도를 변화시킨다고 한다. 결국에는 사회, 경제적 지위가 낮을수록 신체 유전자의 발현 정도도 후천적으로 좋지 않은 방향으로 발현되는 것이다. 강남 8학군으로 왜 학부모들이 모이겠는가, 주변 환경에 의해 자녀의 성장 가능성이 달라지기 때문이다. 왜 좋은 대학을 가려고 재수, 삼수를 하겠는가, 그만큼 본인의 가능성이 좋은 방향으로 발현될 수 있는 환경으로 가려 하는 것이다. 그만큼 가난은 불리한 시작을 하게 만든다. 후생 유전학의 개념을 토대로 가난을 끊기 위해 주변 환경을 수정한다면 지능의 발현도 좋아질 수 있다. 가난에서 벗어날 수 있는 기본적인 자산을 축적한다면, 특히 어린 시기에 이에 도달할수록 판단 능력이 좋아질 가능성이 높고 목적과 목표를 이뤄낼 가능성도 높다. 학습에 대한 태도와 마음가짐에 따라 더욱 심층적인 학습이 가능하다.

하지만 잔인한 현실은 이런 후천적인 노력에도 불구하고 대부분의 부자와 빈자는 대물림 된다. 그만큼 지긋한 가난을 끊기가 힘들다는 것이다. 이를 뒷받침하는 근거로 첫 번째, 빈자들은 대가를 지불하려 하지 않는다. 작은 물건을 사더라도 합당한 대가를 지불하는 것이 당연한 순리다. 집을 사면 대출금을 내야 하고, 차를 사면 할부금을 내야 하며, 휴가를 가면 숙소와 식사에 대한 비용을 당연히 지불해야 한다. 더 좋은 것을 원할수록 더 큰 대가를 치러야 하는 것이다. 그런데 물건의 대가를 지불하는 것은 당연하게 생각하면서, 빈자는 부자가 되는 것에 대해서 대가를 지불하는 것에는 무척이나 인색하다. 부자 되는 데 필요한 대가는 시장 변동성과 불확실성을 견디는 인내심, 그 와중에 느끼는 공포, 잘못된 투자에 대한 후회, 투자 공부를 하고 투자금을 마련하는 데 필요한 노력과 절제일 것이다. 빈자들은 리스크와 변동성을 싫어한다. 투자를 공부하고 절제를 하려는 노력도 기피하며 투자 위험을 감수하려 하지 않는다. 언젠가 잘될 거라는 막연한 기대를 품고 아무것도 하지 않거나 다른 사람 말만 듣고 섣부른 투자를 해 손실을 본다. 대가를 지불하지 않고 무언가를 쟁취하려 들면 그건 도둑질이다. 마찬가지로 더 나은 삶 더 큰 부를 원하면서 노력도 안 하고 리스크도 감수하지 않는 건 도둑놈 심보다. 빈자와 부자를 가르는 가장 큰 차이는 부자는 더 큰 부를 위한 수수료를 기꺼이 지불하지만, 빈자들은 수수료를 내기 싫어 날로 먹으려 한다. 투자에서 변동성은 수수료이지 벌금이 아니다. 시장 수익률은 다른 모든 현물상품과 마찬가지로 대가를 요구한다. 원하는 것이 있다면 그에 대한 대가를 기꺼이 지불하는 것이 부자가 되기 위한 기본적인 마음가짐이자 습관이다. 아이러니하게도 정작 정말 돈이 필요한 가난한 사람들보다 부자들이 돈 공부하고 투자에 관심 쏟는 시간이 훨씬 많다. 당장 부의 격차를 극복할 수 없다면 부자들처럼 부자 되기에 더 많은 대가를 지불해 점차 그 격차를 좁혀야 한다.

둘째, 빈자에게는 투자 원칙이 없다. 그러니 귀가 얇아 이 사람 저 사람 말에 끌려다닌다. 물론 현명한 투자를 위해선 다른 사람들 말에 귀 기울일 필요도 있다. 그러나 누구에게 귀 기울이는지가 중요하다. 투자 원칙이 없는 빈자들은 자신도 모르게 나의 성향과 맞지 않은 투자자로부터 정보를 얻는다. 애플 주가가 $210이라면 비싼 걸까, 싼 걸까? 장기투자자인 나는 싸다고 생각한다. 적어도 코로나 이후, 투기로 생겼던 거품이 꺼졌고 단기적으로 보면 떨어질지언정 앞으로 10년 동안은 반도체 스마트폰 산업 호황을 예상하기 때문이다. 10년을 내다보는 장기투자자 입장에선 현재 주가가 저렴하다고 생각하지만, 매일 단타를 치는 데이트레이더 입장에서 보면 어떨까? 1년 뒤, 10년 뒤에 어떻게 되든 당장 오늘 가격이 떨어질 것 같으면 비싼 것이다. 누군가 유한양행 시가총액이 더 떨어져야 한다고 주장하면 어떨까? 그 사람의 입장에선 현재 주가가 비싸겠지만 단타를 치는 사람이라면 1년 만에 주가가 20%나 빠졌으니 단기적 기술적 반등이 나올 수 있다고 생각할 수도 있다. 단기투자자에겐 현재 주가가 싸다는 것이다. 장기투자자와 단기투자자는 서로 완전히 다른 게임을 하고 있다. 나와 다른 게임을 하는 사람들 말에 휘둘리면 절대 투자 수익을 낼 수도, 부자가 될 수도 없다. 부자들은 자신의 성향과 자기가 어떤 게임을 하는지 정확히 안다. 그리고 나의 전략에 도움이 될 정보를 선택하며 확신을 키워간다. 그들은 다양한 매체에서 활동하는 주식 전문가들의 말에 흔들리지 않는다.

셋째로 빈자는 무리한 욕심을 낸다. 아이러니하게도 부자보다 가난한 사람들이 욕심이 많다. 여기서 욕심이란 부자처럼 보이고 싶은 욕심이다. 진짜 부자들은 부자처럼 보일 필요가 없다. 워런 버핏은 한 집에서만 60년 넘게 살고 있는데, 집값은 2020년 기준 약 7억 정도에 불과하다. 삼성 이재용 회장의 차는 롤스로이스, 람보르기니가 아니라 제네시스이다. 그런데 워런 버핏이 저렴한 집에 산다고 해서, 이재용 회장이 국산 차 탄다고 해서 이들이 부자가 아니라고 할 수 있는 사람 있는가? 이처럼 진짜 부자들은 부자처럼 보이려 억지로 좋은 집 좋은 차 명품 가방을 살 필요가 없다. 물론 이들도 명품 사용하겠지만, 그건 부자처럼 보이기 위해서가 아니라 그냥 좋고 익숙하니까 쓰는 것이다. 좋은 집 비싼 차 명품으로 부를 과시하려는 건 오히려 부자가 아닌 사람들이나 하는 짓이다. 부자처럼 보이고 싶은 가난한 사람들은 빚내서라도 외제 차를 사고 비싼 옷과 가방을 사고 남들 보기에 좋은 집에 산다. 그리고 회사에선 돈이 부족하다고 매일 투덜댄다. 우리는 부자 되는 건 힘들어하면서, 누구보다 쉽게 부자처럼 보이려고 한다. 부자가 되려면 오히려 주변에 부자처럼 보이지 않는 게 중요하다. 그래야 번 돈을 흥청망청 쓰지 않고 꾸준히 투자에 사용할 수 있다.

넷째, 빈자는 공부에 소홀하다. 부자는 매일 경제 서적을 읽고 새로운 정보를 습득하며 변화를 감지한다. 반면 빈자는 공부를 소홀히 한다. 한 번 배운 것으로 만족하며 더 이상 성장하지 않는다. 성공하고 부자가 되기 위해서는 지속적인 학습과 성장이 필수적이다. 새로운 지식과 기술을 습득하고 변화에 빠르게 대응하는 능력이 필요하다. 공부를 게을리하지 않고 꾸준히 노력하는 것이 부자가 되는 길이다. 그러니 잘 되는 사람은 계속 잘되고, 정체된 사람에게는 아무 일도 일어나지 않는 것이다. 행동하지 않을 것이라면 불평 불만하지 말자는 것이다. 부자가 되고 싶다며, 아니 집이라도 사고 싶다고 말하지만, 과연 당신은 집을 살 자격을 가진 사람인가? 부자와 빈자를 이분법적으로 나누어 그들의 특성을 비교하는 것이 인간적인 접근방식은 아닐 것이다. 그런데도 부자와 빈자를 동일 선상에 두지 않은 이유는 그것은 부자의 피나는 노력과 대가를 존중하지 않는 것이기 때문이다.

소비를 통제하기 위해서 구체적으로 우리는 어떤 기준을 갖고 있어야 할까. 우리가 가장 많이 혼동하는 것이 돈의 상대성이다. 만 원과 2만 원의 차이는 크게 느껴질 수 있다. 하지만 49만 원과 50만 원의 차이는 적게 느껴질 것이다. 둘 다 동일하게 만 원의 차인데 이렇게 봤을 때는 크게 느껴지고 저렇게 봤을 때는 적게 느껴지는 이유는 바로 돈의 상대성 때문이다. 이는 잘못된 소비를 선택하게 만든다. 예를 들어, 만 원이면 피자를 집에서 배달 받을 수 있다. 하지만 집 밖을 걸어서 나가서 피자를 구입하면 8천 원에 구입할 수 있다. 이때 우리는 집을 나가서 피자를 사려고 노력하지만, 비싼 물건을 살 때는 '만 원 정도쯤이야'라는 생각에 굳이 다른 저렴한 곳을 비교하며 찾아가지 않는다. 이상하게도 큰돈을 다룰 때는 우리는 더 둔감해진다는 사실을 여기서 발견할 수 있다. 전구 10개를 켜 놓은 방에서 전구 하나가 꺼진다면 어떨까? 주위가 어두워진 것을 바로 알 수 있을 것이다. 하지만 전구가 100개가 있는 방에서 하나가 꺼진다면 아마 달라지는 것을 크게 느끼지 못할 것이다. 전구가 10개 정도는 꺼져야 '이제 좀 어두워졌나' 느끼게 될 것이다. 일반적으로 우리가 회계 처리를 할 때 지출과 수입을 구별하듯이 우리는 머릿속에 이득과 손실을 매번 따로 두고 다루게 되는 심리적 회계라는 것을 한다. 그러니까 작은 손실에도 예민하게 반응하는 것도 이 심리적 회계 때문일 수도 있다. 여기서 큰 오류가 발생하는데, 심리적으로 괜찮다는 생각이 들더라도 돈을 소비한 사실은 달라지지 않는다. 이러한 소비자의 허점을 노리고 다양한 마케팅이 이루어지고 있다. '오늘만 이 가격에 팝니다.' '다시 없을 이 가격' 이런 문구를 마트나 쇼핑몰에서 본 적 있을 것이다. 홈쇼핑이나 대형마트에서 사용하는 이러한 마케팅 문구가 과연 사실일까? 물론 거짓말은 아니다. '오늘만 이 가격에 팝니다'라고 했지만, 오늘만 이 가격에 그 상품을 파는 것이다. 오늘 9,900원에 팔았다면 내일은 9,800원, 혹은 9,990원에 팔아 눈속임하는 것이다. 또 다른 마케팅으로 메인 상품과 함께 제공하는 증정품이 있다. 이 또한 마케팅의 눈속임 전략이다. 예를 들어서 1,000g 샴푸를 구매하면 휴대용 50g 샴푸 증정품 한 개를 함께 제공한다. 하지만 다른 곳에선 1,000g 샴푸에 휴대용 샴푸 20g 하나, 그리고 휴대용 샴푸 10g 세 개를 함께 판매한다. 똑같은 양을 더 풍족한 구성으로 나눠서 판매하는 것이다.

　그렇기 때문에 우리는 구매 금액에 대한 나만의 기준을 정해 두어야 한다. 나의 지출이 경제적 목표에 얼마나 부합되는지, 혹은 소비를 조금 더 합리적으로 만들어주는 방법은 없는지에 대한 기준을 갖는 것이 필요하다. 만약 수중에 1,000만 원이 있을 때와 10만 원이 있을 때, 당신이 반드시 5만 원을 지출해야 한다면 어느 쪽에서 고민을 더 많이 할까? 아마도 10만 원을 가지고 있을 때 돈을 쓰는 것이 더 고민스럽고 고통이 클 것이다. 반대로 여유가 있을 때는 돈 쓰는 것에 큰 부담이 없다. 여기서 명심해야 할 것은 돈을 내가 얼마나 가지고 있든 간에 똑같은 5만 원이 지출된다는 것이다. 우리는 분명히 알고 있음에도 불구하고 무이자 할부, 할인, 원 플러스 원과 같은 말장난에 우리는 속는다. 앞으로도 다양한 마케팅과 다양한 전략을 통해서 우리의 지갑을 열게 할 것이다. 그런데 그 지갑을 여는 사람이 누구인가, 결국 나다. 그 지갑을 통제할 수 있는 사람이 나기 때문에 나 스스로를 통제하지 못한다면 그 지갑은 열리게 되어 있고 또 나중에 후회하게 된다. 소비를 통제하는 것에는 뼈를 깎는 노력이 수반된다. 독한 마음만 먹었다고 모든 상황이 일사천리로 해결되지 않을 것이다. 마음을 먹었다면 행동으로 옮겨야 한다. 내가 생각하기에 너무나 공평하고 합리적인 세상이다. 나의 노력이 결과로 이어질 수 있는 시대에 살고 있기 때문이다. 그러니 우리는 마음을 고쳐먹고, 나의 소비를 통제하는 행동으로 실천해야 한다.

적용점

13. 당신의 소비 끝에는 어떤 심리가 있나요?

_____

_____

_____

_____

_____

_____

14. 소비로 결핍을 메꾸고 있었다면, 이를 어떻게 극복할 건가요?

_____

_____

_____

_____

_____

_____

15. 당신의 소비는 결핍인가요? 혹은 투자인가요?

_____

_____

_____

_____

_____

_____

_____

Minimal Life

2024.08

26살, 현재

제6화 Minimal Life

한때 SNS에서 유행했던 밸런스 게임 중 "내가 1억을 받을 시 원수도 100억을 받는다면, 당신은 받을 것인가 or 받지 않을 것인가"에 대한 질문이 있었다. 내가 1억을 받겠다고 선택하면 원수가 동시에 100억을 받는 것이다. 나와 같이 1억도 아닌 100억이라니, 그것도 원수는 아무 대가도 없이 100억을 받는다니. 이 질문에 대하여 대부분 사람이 억울하고 불공평하다는 입장을 가지고, 원수가 100억 받을 바에 차라리 나도 1억을 안 받고 말지라며 "1억을 받지 않는다"를 선택했다. 그도 그럴 것이, 사실 1억 가지고는 집을 살 수도 무언가를 이룰 수도 없는 금액이지만 100억은 경제적 자유를 이루기에 충분한 금액이다. 가족에게 주면 모를까, 내 원수에게 경제적 자유를 선물할 수 없다는 입장이다. 나도 무척이나 동감하지만, 우리는 돈으로부터 감정을 분리하는 연습이 필요하다. "내가 1억을 받는 대신 원수가 100억을 받는다고 할 때, 당신은 1억을 받겠는가?"의 질문에 우리가 초점을 둬야 할 것은 내가 1억을 받는다는 것이다. 원수가 100억을 받든, 1,000억을 받든 나의 삶과는 무관하다. 나의 목적과 목표가 원수가 잘되지 않는 것이라면 모를까, 그것이 아니라면 우리가 초점을 둬야 하는 것은 오로지 나에게 주어지는 천금 같은 기회에만 집중하자는 것이다. 맞다, 1억으로 집을 매매할 수도, 사업을 하나 시작하기 어려운 금액이지만, 그러한 이유로 1억을 포기하는 것은 합리적인 이유가 되지 못한다. 이 세상은 1억으로 못할 것 보다 할 수 있는 것이 훨씬 많다. 이처럼 우리는 돈으로부터 감정을 분리하는 연습을 해야 한다. 비슷한 맥락으로, 돈으로 구매한 물질도 그러하다. 물질에 감정과 의미를 부여하기 시작하면 끝이 없다. 자기 주변 환경은 내 감정이 이입된 물건으로 가득 찰 것이다. 주변이 정리가 되지 않으면 우리의 마음을 목적과 목표에 집중시키기 어렵다. 당장 내가 어떤 중

대한 선택의 기로에 선 것도 아닌데, 이상하리만큼 겁을 내거나 막연한 불안을 느낀다. 나의 불안과 두려움은 나의 성격 때문이 아니라 내가 가진 것들에 대한 정리가 되지 않은 것으로부터 시작된 것이 대부분이었다. 매일 타고 다니는 자동차만 봐도 그렇다. 자동차 앞좌석, 뒷좌석뿐만 아니라 트렁크도 짐이 뒤엉켜서 엉망진창이었다. 치우기 귀찮기도 하고, 어차피 정리해도 다시 더러워질 것 같다는 생각에 그냥 내버려두었다. 어쩌면 트렁크처럼 내 인생도 귀찮아서 정리를 뒤로 미룬 것일지도 모른다. 미리 정리하고 해결했으면 문제없이 지나갈 일들이 자꾸 큰 문제가 되었고, 그럴 때마다 지난 날의 나의 게으름을 모른 척하고 현재를 탓했다. "나한테는 왜 자꾸 이런 골치 아픈 일이 일어나는 거야"처럼 말이다. 어렸을 적부터 나는 특히 옷에 대한 소유욕이 매우 많았다. 중학생 당시 나는 부모님께로 받은 용돈 전부를 옷을 구매하는 것에 사용했다. 당시 부모님은 내게 한 달에 20만 원이라는, 중학생에게는 매우 파격적인 금액을 용돈으로 주셨다. 부모님은 아들이 어렸을 적부터 직접 돈을 소유하고 관리하는 연습을 목적으로 당시 중학생에게 큰돈을 주신 것이었는데, 나는 물 만난 물고기처럼 매달 옷을 구매하느라 흥청망청 용돈을 쓰기 바빴다. 그렇게 성장기 때 샀던 옷들은 성인이 되고 골격이 커지게 되면서 더 이상 입을 수 없게 되었고, 당시 브랜드 제품을 산 것이 아니라 보세 위주로 옷을 구매했기에 다시 판매할 수 없는 옷들이 집에 쌓여 있었다. 나의 무분별한 소비는 대학교 1학년 때에도 이어졌다. 과외를 하면서 능력에 비해 많은 돈을 벌게 되었고, 무진장 옷을 구매하고 사람들과 여행을 다니며 추억을 쌓았다. 누리면 누릴수록, 가지면 가질수록 마음은 풍족해졌지만, 그 많은 것들을 책임지고 유지하는 것을 감당하기 어려웠으며 가진 것들을 잃는 것에 대한 두려움이 생겼다. 그러한 삶을 유지하기 위해 나의 시간과 노력, 돈이 계속 소비되어야 하기 때문이다. 여태껏 삶은 원래 복잡한 것이라며 합리화하며 지냈다. 그렇게 나의 몸과 정신은 여러 곳에서 영향을 받아 내 속의 알맹이는 없고, 겉치레만 잔뜩 신경 쓰길 몰두하고 있다. 컵 안에 물을 붓고 흙을 퍼 담은 뒤 마구잡이로 흔들면 흙탕물이 되듯이, 나는 내 인생을 쉴 새 없이 흔들고 있다. 나의 말과 행동은 참을 수 없이 가벼웠으며, 눈에는 초점이 없다.

2019년 일을 시작하며 본격적으로 돈에 관심을 두게 되었다. 나는 소비를 줄이는 것에 각별히 신경을 썼다. 소비를 줄이다 보니 물건을 구매하는 것에도 엄격한 기준을 적용하게 되었으며, 자연스레 내가 가진 물건들을 정리하며 미니멀 라이프를 추구하게 되었다. 미니멀 라이프로 살게 되며 굳이 이전처럼 복잡한 인생을 살 필요가 없다는 것을 느꼈다. 내 주거환경이 복잡하고 어지럽지 않으니 잔잔히 나를 돌아볼 용기가 생겼다. 이를 바탕으로 내 삶에서 목적과 목표를 찾았으며, 그것을 실현하기 위한 소비다운 소비를 하기 시작했다. 점차 소유에 대한 욕심이 사라졌고, 내 인생은 심플하게 바뀌었다. 이전과 달리 지금은 갑작스럽게 골치 아픈 일들이 생기지 않는다. 허둥지둥, 짜증 내고 불평 불만할 일도, 나를 더 이상 애처로운 불운의 주인공처럼 생각하지도 않는다. 인생이 너무나 잔잔하고 고요해서 오히려 내가 좋아하고 사랑하는 것에 과감히 도전할 여유가 있다. 나의 말과 행동에 자신감이 실리고, 삶에서 여유가 있으니, 과정에 집중하여 훌륭한 성과를 낼 수 있었다. 나는 이를 단연 미니멀 라이프 덕분이라 생각하며, 이로써 심플하지만 목적과 목표가 또렷한 사람이 되었다 자부할 수 있다. 지금껏 나는 내 마음 가는 대로 살아왔다고 생각했지만, 대학 졸업을 앞둔 지금 내가 지나온 삶을 돌아보니 나는 세상이 정해준 답에서 크게 벗어나지 않는 삶을 살았다. 중, 고등학교를 졸업하고 대학에 와서 전공 공부와 연구를 했으며 직장생활도 조금 했다. 지금이 돼서야 세상과 다른 사람들의 시선과 평가 속에 살면서 정해진 답에서 벗어날 용기를 내지 못했던 것에 아쉬움을 느끼지만, 지금부터 시작하면 어떤가. 미니멀 라이프를 통해 세상이 정해둔 기준 근처의 길에서 벗어나 내가 원하는 삶을 살아갈 용기를 알게 되었다. 좋은 기업, 대학원, 사업, 결혼과 같이 정해진 답으로 사는 것이 아니더라도 겁이 나지 않는다. 삶이 한결 여유롭고 편안해졌다. 물건을 소유해서, 소유하지 못해서 오는 불안감을 해소하는 것만으로도 한결 편안해질 수 있었고, 거창한 목표를 꿈꾸지 않기로 한 후에도 또 한결 편안해질 수 있었다. 편안해졌다고 해서 게을러지거나 삶이 쉬워진 것은 아니다. 단지 편안한 삶 속에서 나에게 편한 방법으로 살아가는 법을 터득한 것이다. 편안함은 온전히 나로서 살아가게 해준다. 자의로 컨트롤하지 못하는 수많은 일들이 주변에 도사리고 있지만, 내 삶 자체를 심플하게 만들어두니 얽힌 일들을 풀어내는 것이 어렵지 않았다. 언제까지 만족하며 살지는 모른다. 다시 복잡하게 살아가게 될지도 모르고, 누군가가 정해 놓은 삶을 살게 될지도 모른다. 여전히 쉬운 일이 없고, 마음에 부담을 느끼지만 한 가지 확실한 것은 더 이상 물건에서 행복을 찾지 않겠다는 것이다. 앞으로 소유하는 물건의 양을 더 줄이고, 그 자리에는 만져지지 않지만 확실하게 존재하는 것들을 채워 넣을 것이다. 내가 정해 놓은 기준과 우선순위를 잊지 않으면서 말이다. 우리는 너무나 많은 감정에 뒤엉켜 살아가고 있지 않은 지 되돌아보아야 한다. 내 목적과 목표에 집중하지 못하는 환경에 내가 놓여있지 않은가에 대해 생각해야 한다. 그것을 단지 정 때문에 정리하지 못하거나, 귀찮다는 이유로 미뤄왔다면 우리는 바뀌어야 한다. 우리의 삶의 자세가 목적과 목표에 최적화되도록 해야 한다. 나는 특히 5가지 영역에서 우리의 삶의 자세를 심플하게 바꾸길 권장한다.

1. SNS 알고리즘

미니멀 라이프를 지향하면서 가장 먼저 정리해야 할 것은 내게 노출되는 SNS 알고리즘이다. 내가 접하는 매체에서 가장 많이 노출되는 알고리즘은 내가 무슨 생각을 하는지를 대변하는 것이기도 하다. 간혹 나의 관심사와 별개로 유튜브, 인스타, 틱톡 등 SNS에는 필터링되지 않고 무분별하게 게

시글이 업로드된다. 유튜브 쇼츠나 인스타 릴스를 하나씩 보다 보면 한 시간이 금방 지나가 있는 것을 볼 수 있다. 그 시간에 유의미한 통찰을 얻거나, 기분이 좋아지는 것이 아니라 멍때리며 시간을 버리는 경우가 대다수이다. 관심을 끌기 위해 사람들은 더욱 자극적인 것을 올리며, 이에 영향을 받아 댓글 창에선 사람들끼리 분쟁을 하고 있다. 그렇게 관심이 끌려 자극적인 게시글을 몇 개 클릭하다 보면 알고리즘이 작동해 그와 비슷한 게시물만 지속적으로 보여준다. 축구 개인기 관련 게시글을 봤다면, 축구와 관련된 게시글들이 내 피드에 계속해서 업로드된다. 영화 후기 영상 게시글을 봤다면, 영화 관련 리뷰 영상들이 지속적으로 내게 노출될 것이다. 따라서 우리는 과감하게 알고리즘을 정리할 필요가 있다. 우리의 시선을 사로잡아 시간을 허비하게 만드는 자극적인 것을 차단하는 것으로부터 미니멀 라이프를 시작하는 것이다. 하루에 1시간씩 나의 관심사와 무분별한 게시글을 보느라 시간을 허비하게 된다면 한 달에 30시간을 허비하는 꼴인 것이다. 우리가 허비하는 시간, 하루에 한 시간씩 무언가를 공부한다면 이것이 습관이 되어 한 달, 석 달, 일 년간 지속한다면, 분명 해당 분야에서 수준 높은 통찰을 깨우칠 수 있을 것이다. 수험공부하는 자세로 임하라는 것이 아니다. 물론 그렇게 하루에 한 시간씩 공부하면 더할 나위 없이 좋겠지만, 우리가 SNS를 볼 때 보통 책상에 앉아서, 올바른 자세로 하진 않는다. 우리는 대부분 집에서 휴식을 취할 때, 혹은 다른 장소에 이동하면서 SNS를 한다. 그 자두리 시간에 본인의 목적, 혹은 그에 부합하는 경제적 목표를 이루기 위한 재테크를 공부하라는 것이다. 많은 깨달음을 얻을 수 있을 시간인데도 불구하고, 우리는 기존의 알고리즘에 갇혀 시간을 허비하고 있다. 그러니 우리가 보고 듣는 것으로부터 먼저 우리의 관심사를 간단명료하게 바꾸어야 할 것이다. 우리는 목적과 목표에 대한 알고리즘을 채워야 한다. 만약 행복한 가정을 꾸리는 것이 본인의 목적이라면 행복한 가정들의 일상을 담은 영상을 보는 것이다. 그들이 일상에서 어떻게 소통하고, 만약 다퉜다면 어떻게 풀어나가는지 관심을 두고 지켜보는 것이다. 만약 본인의 목적이 책을 출판하는 것이라면 책을 출판하는 과정을 정리한 유튜브나 출판사 등에 대한 정보를 알아봐야 하는 것이다. 정보를 찾다 보면 자연스레 알고리즘이 작동하여 내게 더욱 부합하는 정보를 제공할 것이다. 나의 관심사를 찾아주는 용도로 알고리즘이 사용되어야지, 무분별한 알고리즘으로 우리의 목적과 거리가 먼 관심을 끄는 게시글은 우리가 목적을 이루고자 하는 것에 방해를 준다.

언젠가부터 SNS에서도 쉽게 쇼핑할 수 있는 경로가 생겼다. SNS를 보다가 계획에 없던 옷과 물건을 구매하는 경우가 잦아졌다. SNS에서 쇼핑몰을 운영하는 계정들을 보면 멋진 장소에서 해당 상품을 입고 잘생기고 예쁜 모델들이 홍보하고 있는 것을 볼 수 있다. 우리의 구매 욕구를 너무나 잘 파악하여 마케팅하는 것이다. SNS로 옷을 구매하는 것은 우리가 옷을 구매하기로 마음먹었다는 전제 아래 하나의 수단으로 사용되어야 한다. 단지 SNS를 보다가 예쁜 상품에 매료되어 예정에 없던 구매를 하는 불상사는 더 이상 없어야 한다는 것이다. 견물생심이라, 좋은 물건을 보고 사고 싶은 건 너무나 당연하고 타당한 인간의 심리이다. 그것을 부정하지 말되, 사전에 통제하여 우리의 노력을 오롯이 본인의 목적을 위해 효율적으로 써야 한다. 돈을 모으기로 마음먹었다면, 나의 알고리즘을 돈과 관련하여 바꾸는 것이 중요하다. 내가 보고 배울 사람들이 이 세상에는 너무나 많다. 내 주변에서 시선을 돌려 한국에서, 미국에서, 전 세계에서 탁월한 성과를 낸 사람들이 돈을 어떻게 다루는지 관심을 가져야 한다. 시대와 문화가 바뀌고 발전하여 본인의 통찰을 자유롭게 공유하는 것이 가능한 시대에 살고 있다. 과거의 부자들이 본인의 자녀에게 물려 주었던 부자가 되는 법을 이제는 SNS를 통해 접할 수 있다. 하지만 부자가 되는 법을 알려줘도 관심이 없는 사람은 보지 않는다.

2. 워크페이스

알고리즘을 정리했다면, 이것이 구체적으로 실행된 워크페이스를 정리해야 한다. 기본적으로 본인의 휴대폰에 사용하지 않는 애플리케이션은 모두 지우는 것을 추천한다. 카테고리에 맞게 분류하여 깔끔한 환경을 만든다. 언제, 무슨 목적으로 설치한 줄 모르는 애플리케이션들이 뒤죽박죽 쌓이게 되면 나의 관심과 시선을 분산시키기 때문이다. 이럴 경우에 어떤 목적을 가지고 휴대전화를 쳤는데, 앱을 못 찾아서 헤매다 목적을 까먹어버리는 경우가 발생한다. 휴대폰 워크페이스의 배치와 정렬이 내가 이용하기에 편리하게 배치되어야 나의 목적에 맞도록 휴대폰을 효율적으로 사용할 수 있을 것이다. 그렇게 적용하면 매 순간 휴대폰을 잡고 있을 이유도 없다. 일상을 보내다 동기부여를 얻거나, 새로운 통찰을 깨닫는 순간이 있을 것이다. 그때 휴대폰이라는 물건을 통하여 나와 같은 동기를 가지고 사는 사람들의 모습을 보는 것이다. 나의 경우, 휴대폰 워크페이스를 극단적으로 정리하는 편이다. 전화번호부와 카카오톡 친구 목록 중에 더 이상 연락하지 않는 사람은 숨겨서 내 관심과 시야에서 사라지게 한다. 굳이 의미를 부여하지 않도록 내 관심사를 통제하는 것이다. 쇼핑, 배달 앱도 대부분 정리를 한다. 구매를 유도하는 성격의 앱이 휴대폰 워크페이스에 많이 노출되어 있으면 나의 관심이 시간과 돈으로 소비되기 때문이다. 컴퓨터도 마찬가지로 내가 사용하지 않는 것들을 정리하여 나의 관심이 다른 곳으로 세지 않노록 한나. 우리가 사용하는 전자기기는 나의 목적을 발현하기 위한 수단으로 사용하는 연습을 한다. 전자기기를 생산적으로 사용하는 것과 소비적으로 사용하는 것은 다르다. 행위적인 측면으로 보면 휴대폰을 한다는 것은 동일하나 사용하는 동기와 태도에 따라 결과에서 차이가 날 것이다. 과학과 기술의 산물인 전자기기를 분명한 내 목적을 달성하기 위한 수단으로 사용하자. 이런 관점이라면, 굳이 매번 최신 전자기기를 비싼 값에 지불하며 예약할 필요가 없을 것이다. 본질에 집중하여 내실을 챙기는 연습이 필요하다. 사소한 것이지만 여기서 차이가 만들어진다.

3. 루틴

루틴은 우리 삶과 생각 속에서 갈등의 요소를 줄이고 돈과 시간, 더 나아가 선택의 재화를 낭비하지 않게 만든다. 틀에 박힌 루틴은 지루하고 반복해 보이지만 목적에 부합하는 탁월한 결과를 끌어낸다. 잘 되는 사람은 계속 잘되고, 안 되는 사람은 계속 안 되는 결정적인 차이는 루틴으로부터 시작한다. 자신만의 루틴이 완성되면 그 일은 더 이상 고민할 필요 없이 자연스럽게 해야 하는 일로 바뀐다. 미세한 성과가 눈에 보이기 시작하면 더는 자신과 타협하지 않게 된다. 무엇보다 뒤를 돌아보면서 내가 왜 계획을 지키지 않았는지, 왜 여전히 똑같은 자리에 있는지 의아해하는 일도 사라진다. 뭔가를 바라고 다음 전략을 세우는 것도 중요하지만, 성실하게 뭔가를 계속해 나가는 것이 본질이다. 여기서 핵심은 작지만 빈번하게 반복되는 성공이다. 루틴을 지키는 것은 지속적으로 작은 성공을 누릴 수 있도록 한다. 루틴을 가지고 24시간을 만족스럽게 보내면 내일에 더 집중할 수 있다. 선순환으로 오늘보다 나은 내일이 만들어지는 것이다. 반복적인 성공 경험은 동기 부여와 자신감으로 이어지고, 내가 하는 다른 일에도 긍정적인 에너지를 불어넣어 준다. 터무니없이 허황한 꿈이나 희망 사항이 아닌 현실을 기반으로 자신이 루틴을 설정하여 완수한 것이기 때문이다. 사람들이 도전하지 않는 가장 큰 이유는 모든 절차와 목표가 확실하게 정해진 포괄적이고 대대적인 계획부터 세우기 때문이다. 일단 시작하자, 무엇이든 시작하고 부딪혀서 본인에게 맞는 루틴을 만들어야 한다. 시작이 반이고, 흐름은 내가 가져오는 것이다. 꼭 대단하고 모든 것을 계획하지 않아도 도전할 수 있다.

4. 옷

전자기기는 시간이 지나면 중고 상품으로 팔기도 하고, 대량으로 구매한 냉

동식품이 남으면 이웃에게 나누기도 하지만 우리는 옷장에 쌓인 옷에 대해서 안일하게 방치해두고 있는 모습을 종종 볼 수 있다. 분명 입지 않는 옷들이 넘치는데도 뭘 어떻게 비워야 할지 모르는 상태가 된다. 이때 지난 1년간 해당 아이템을 입었는가에 대하여 고민하는 것은 타당하고 명확한 기준이 될 것이다. 폐기보다는 중고 상품으로 팔 수 있는 방안에 대해 고민해 보는 것이 더욱 생산적일 것이다. 그렇게 처분하기로 마음먹은 옷들은 대부분 유행이 지나 마음에 들지 않는 옷들이었다. 또한 중학생 때부터 옷을 사서 모으다 보니, 사이즈가 작아져서 입지 못하는 옷들도 있었다. 그렇게 나는 내가 지금 당장 입지 못하는 옷들을 먼저 버렸다. '언젠가 입겠지', '살 빼고 입을 거야'와 같은 일말의 가능성을 계산하지 말고 지금 당장 버려야 한다. 이렇게 옷장을 비우다 보면 내가 좋아하는 옷들이 남게 되지만, 가끔 유달리 튀거나 다른 옷에 어울리지 않는 것들이 있어 난감할 때가 있다. 다른 옷들은 여러 스타일로 조합하여 입을 수 있지만, 그렇게 튀는 옷은 다른 옷들과 매치하기도 어려웠다. 튀는 아이템 하나를 위해 다른 아이템을 소비하게 될 위험이 있기 때문에 하루빨리 처분하는 것이 좋다. 그렇게 내가 추구하는 스타일을 구체화하기 시작하며, 남아 있는 옷과 물건들을 통해 나와 잘 어울리면서, 내가 원하는 스타일이 어떤 건지 생각해 보고, 그와 비슷한 스타일의 이미지를 만든다. 그리고 그 이미지를 머릿속에 새겨두고, 부합하지 않는 물건을 처분한다.

5. 사람

사람은 평생을, 관계를 맺고 살아가는 동물이다. 과거 외세의 침략으로부터 사람은 무리를 지어 극복하며 생존했기에 사회적인 동물임은 틀림없다. 그 말인즉슨 함께 교류하고 소통하며 살아가도록 만들어진 것이 본디 사람의 모습이다. 그만큼 사람은 주변으로부터 영향을 많이 받는다. 따라서 나의 상황을 바꾸고 싶으면 주변 사람부터 바꿔야 한다. 내가 가장 가까이 지내는 사람들에 따라서 내 삶의 그림이 달라질 수 있다. 일례로 세계 최고 부자 반열에 빌 게이츠는 "가난하게 태어난 건 당신 잘못이 아니지만, 죽을 때까지 가난한 건 당신 잘못이다."라고 말한다. 하지만 빌 게이츠의 아버지는 시애틀 최고 법률 회사를 운영하던 잘나가는 변호사였고 빌 게이츠의 어머니는 미국 시애틀 도시은행 부 은행장의 딸이자 퍼스트 인턴 스테이 뱅크 시스템에 이사회 임원이다. 물론 당연히 빌 게이츠가 노력했다는 사실을 모르는 사람은 없겠지만, 세상에는 돈이 있고, 없고의 차이로 노력할 기회조차 주어지지 않는 사람도 있다. 빌 게이츠처럼 잘되는 사람들은 본인이 열심히 해서 성공한 것도 있겠지만, 어렸을 적 부모의 전폭적인 지원, 가장 가까운 배우자의 헌신 등 주변 사람들의 영향력도 매우 크게 작용한다. 만약 내 능력이 아무리 출중하더라도 가장 가까운 관계에서 나에 대해 부정적으로 말하거나, 스트레스를 준다면 일이 잘 풀릴 수가 없다. 가정환경이나 내게 주어진 관계를 바꾸고 싶어도, 내 뜻대로 되지 않는다고 말할 수 있다. 안타깝지만 그것은 각자가 짊어져야 할 일이다. 언제까지나 그걸 핑계 삼아 도피할 순 없기 때문이다. 내가 이루고자 하는 게 있으면 단칼에 끊어낼 줄 알아야 한다. 내게 부정적인 영향을 주는 사람을 옆에 계속 두는 것도 결국 본인이 택한 것이다. 인간관계는 대부분 유유상종이고 끼리끼리다.

결국 선택은 각자 소신껏 하는 것이다. 어떤 삶을 살지는 본인이 선택하는 것이다. 본인의 목적에 빠르게 도달하고자 한다면, 다른 것들을 통제하고 관리하여 나의 삶에 집중하는 것을 선택해야 할 것이다. 목적 달성 여부와 상관없이 그냥 물 흐르듯 사는 삶도 본인이 선택하는 것이다. 어떤 삶이 옳다, 옳지 않다를 이분법적으로 구분하는 것은 어렵다. 그렇게 판단하기에 우리 삶에 관여하는 요소가 너무나 많기 때문이다. 그럼에도 우리의 목적과 경제적 목표가 뚜렷하다면, 결론적으로 우리는 목적을 달성하기 위해 우리의 삶을 심플하게 바꿔야 한다. 돈과 시간, 물건 그리고 사람으로부터 우리는 자유로워야 한다. 방향성이 같지 않은 사람을 옆에 두는 것은 결국 나의 노력과 시간을 헛수고로 만든다. 본인의 뜻이 분명하다면 나와 관계된 모든 것을 함께 끌고 갈 수 없다. 분명한 선택과 집중이 필요하다. 그것을 빨리 인지할수록 목적에 빨리 도달할 것이다. 처음에는 겁날 수 있지만, 괜찮다.

적용점

16. 당신의 삶에서 미니멀 라이프를 적용해야 할 영역은 어디인가요?

_____

_____

_____

_____

_____

_____

17. 당신의 알고리즘에는 어떤 컨텐츠가 있나요?

_____

_____

_____

_____

_____

_____

18. 당신이 관계하고 있는 주변인들은 어떤 사람들인가요?

_____

_____

_____

_____

_____

_____

부록

부록

억대 자산을 이룬 것에 대하여 투자를 빼놓고 말할 수 없을 것이다. 처음에는 50만 원도 주식에 투자하기가 두려웠지만, 현재는 몇천만 원가량의 금액을 투자하며 변동성을 견디는 연습을 하고 있다. 하루에도 100만 원이 넘는 금액을 얻기도, 잃는 과정을 반복하며 돈에 절대적인 의미를 부여하지 않는 훈련을 하고 있다. 돈은 있다가도 없는 것이고 없다가도 있는 것임을 느끼고 나면 투자에 일희일비하지 않게 된다. 가치 있는 자산을 공부하고, 투자하여 나의 목적을 이룰 수 있는 경제적 목표에 다가선다. 부록에서는 본격적으로 투자에 대한 이야기를 해보려 한다. 먼저 주식을 매수하고 매도할 수 있는 계좌부터 개설해야 하는데, 나는 토스 증권을 추천한다. 토스 증권의 장점으로는 한눈에 나의 자산을 종합하여 볼 수 있는 점과 편리한 인터페이스를 제공한다. 그뿐만 아니라 토스에서는 신용카드 개설, 주택청약, 지원금 관련한 서비스도 제공한다.

돈을 공부하는 과정에서 가장 어렵고 힘들었던 것이 기본 개념 정리였다. 금리, 주식, 나스닥, ETF, 암호화폐 등 생소한 단어들 투성이었다. 학창 시절 누구 하나 가르쳐주지 않았기에 우리는 금융문맹이 될 수밖에 없다. 이에 돈을 공부하며 알아야 할 단어와 개념들에 대해 정리했으며, 이를 바탕으로 이해한다면 도움이 될 것이다.

토스 증권 개설, 주식 모으기 등 애플리케이션 사용 가이드에 대한 소개, 이후로는 경제 관련 단어와 개념, 국제 정세에 대한 순서로 부록을 작성했다.

1. 토스 증권 계좌 개설 방법

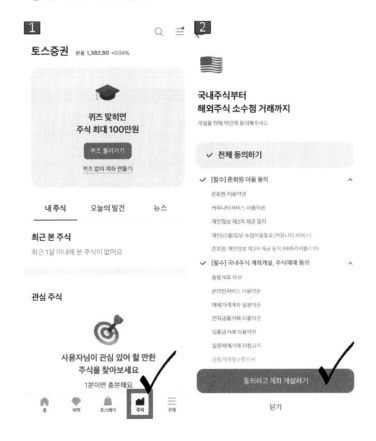

[1] 토스 앱 실행 하단 메뉴 중 '주식' 탭 클릭

애플리케이션 '토스'가 없다면, 먼저 구글플레이, *App store*에서 토스를 설치한다.

[2] 국내 주식부터 해외주식 소수점 거래까지 창에서 '동의하고 계좌 개설하기' 클릭

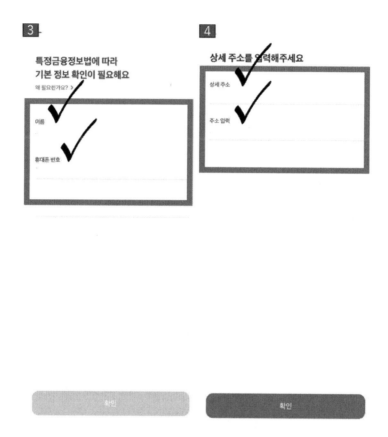

[3] 사용자의 이름과 휴대폰 번호란에 개인정보 기재

실제로 사용할 사용자에 해당하는 개인정보를 기재한다.

[4] 상세 주소, 주소 입력 칸에 사용자의 거주지 기재

실제로 사용할 사용자에 해당하는 거주지를 기재한다.

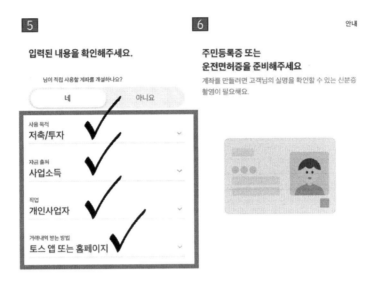

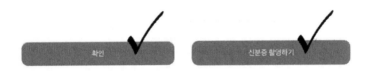

[5] 사용 목적, 자금 출처, 직업, 거래내역 받는 방법을 선택

실제로 사용할 사용자에 해당하는 정보를 기재한다.

[6] 신분증으로 사용자 신분 확인

운전면허증 혹은 주민등록증으로 신분 확인을 진행한다.

[7] 사용자 보유 계좌로 본인 인증

본인이 사용하고 있는 계좌를 통하여 본인 인증을 진행한다.

[8] 계좌 개설 완료

계좌 개설 이후, '채우기'를 선택하여 토스 증권 계좌에 돈을 이체한다. 증권 계좌에 이체되어 투자될 자금을 '예수금'이라 부른다. 해외주식의 경우 토스 증권에서 달러 환전도 손쉽게 가능하기에 달러와 원화로 예수금을 보유할 수 있다.

2. 주식 모으기

 토스 증권에서는 '주식 모으기' 서비스를 제공하는데, 이를 쉽게 말하면 최소 1,000원 단위로 주식을 매수할 수 있으며, 사용자가 설정한 주기로 주식을 매수할 수 있다. 예를 들어, 매일 애플 주식 10,000원을 매수하도록 주식 모으기 서비스를 설정하면, 매일 토스 증권에서 해외주식 장 중에 애플 주식 10,000원어치 자동으로 매수한다.

[1] 토스 증권 화면에서 오른쪽 상단 박스(체크) 클릭

[2] 편의기능 '주식 모으기' 클릭

[3] 사용자가 원하는 주식 선택

토스 증권에서 추천하는 종목뿐만 아니라, 본인이 원하는 주식도 검색하여 주문할 수 있다.

[4] 사용자가 원하는 주식 매수가 선택

본인이 원하는 금액을 설정한다. 주식 장 중에 자동 매수되기에 장시세와 상관없이 시장가로 매수된다. 따라서 소액으로 주문하는 것을 추천한다. 10,000원 이하로 매수 설정할 경우, 수수료를 내지 않는다.

[5] 사용자가 원하는 '주기' 선택

원하는 주식의 가격을 설정했다면, 이를 얼마나 자주 살 것인지 '주기'를 선택한다. 주기는 매일, 매주, 매달 중 선택할 수 있다. 이후 기간을 설정할 수 있다. 예를 들어, 24.08.15 와 같이 구체적인 일자를 설정하여 해당 기간까지 주식 모으기를 진행한다.

[6] 주식 모으기 설정 완료

3. 포트폴리오

자산의 절반 정도를 금융투자, 주식에 투자하고 있다. 투자에 부동산 대신 주식에 투자한 이유는, 첫 번째로 부동산을 투자하기엔 아직 종잣돈이 부족하다. 물론 현재 가진 자산으로 상가, 소형주택 등에 투자할 순 있다. 하지만 1주택자가 아니기에 부동산을 투자의 대상으로 바라보기보단 내가 실제로 거주할 공간이라 인식하고 있다. 두 번째는 부동산을 투자하기 위해선 임장을 다녀야 하는데, 나에겐 물리적으로 이동할 시간이 부족하다. 반면에 주식시장은 전 세계 어디서나 휴대전화만 있다면 거래가 가능하다. 이러한 이유에서 금융시장에 투자하고 있으며, 나는 가치투자를 토대로 대략 20개 이상의 종목에 분산투자를 하고 있다.

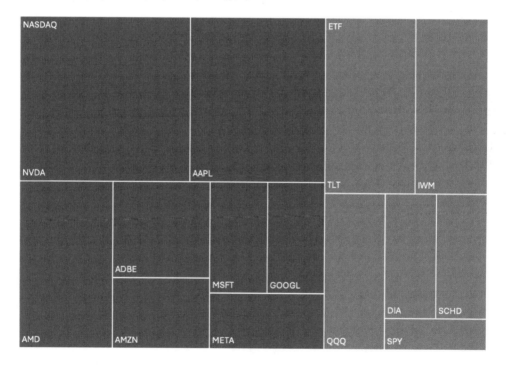

자산의 30% 정도를 미국에 투자하고 있다. 나스닥 대형주 위주로 투자하고 있으며, 인공지능, AI, 반도체 등에 집중적으로 투자하고 있다. ETF로는 미국 국채, 중·소형주, 다우존스, S&P500, 그리고 고배당 주식에 투자하고

있다. 앞서 '주식 모으기' 서비스를 이용하여 매일 5,000원~15,000원에 해당하는 가격으로 매일 모든 종목을 매수하고 있으며, 종합하여 하루에 140,000원을 매수한다. 총 14개 종목으로 해외주식을 운용 중인데, 주식 모으기 5,000원 4종목, 10,000원 6종목, 15,000원 4종목으로 구성하여 진행한다. 매달 30일, 한 달 동안 주가가 많이 오른 순으로 내림차순 하여 상위 4종목은 다음 달 15,000원 매수, 5~10번째 해당하는 종목은 10,000원, 하위 4종목은 5,000원 매수 조건으로 변경한다.

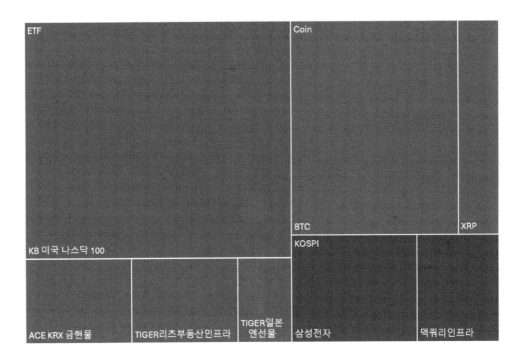

국내 포트폴리오는 ETF, KOSPI, 가상화폐(코인)로 구성되어 있다. 국내 KB 미국 나스닥 100을 매수한 이유는 세금을 줄이기 위해서다. 금투세에 따르면 해외주식으로 250만 원 이상 금융 소득이 발생할 시, 22%의 세금을 부과한다. 따라서 국내 주식장에서 미국 나스닥을 추종하는 ETF를 매수하여 수익을 내고, 세금을 피하는 방식을 택했다. 다른 금융자산으로는 원자

재인 금과 부동산, 일본 엔화에 투자했다. 애플리케이션 '센 골드'로 2023년 한 해 동안 금과 은에 투자했으며, 올해 5월에 꽤 괜찮은 수익을 실현하였다. 이후 자산을 한 곳에 모으기 위해 토스 증권에서 주식으로 금 ETF를 매수하고 있다. 앞서 언급한 이유와 같이 부동산을 투자할 자산이 부족하다고 생각했기에, 주식으로 부동산 ETF에 소액 투자하고 있다. 일본 엔화가 약세를 보이고 있기에, 장기적으로 바라보고 엔화 ETF를 매수하고 있다. 최근 비트코인의 ETF 승인이 허가되며 암호화폐 시세가 껑충 뛰었다. 아래는 암호화폐가 무엇인지, 미국의 빅 테크 4기업은 어떤 방향으로 나아가는지, 미국의 빅 테크 4기업에 대한 분석이다.

4. 암호화폐

미국을 비롯한 제도권이 계속해서 빚이 늘어나는 실정으로 제도권의 한계를 보여준다. 다른 말로 제도권에 경제 체제가 제대로 작동하지 않는다는 것이다. 제도권은 규제를 만들어 놓는데, 그 테두리 안에서만 일하게 되면 이제는 경제가 저성장으로 침체한다. 그렇게 암호화폐가 등장한다. 제도권 밖에서, 즉 규제에서 벗어나 일을 해보자는 취지로 암호화폐가 시작되었다. 하지만 암호 화폐를 만들더라도, 결국은 그 암호화폐의 가치를 누군가 보증해야 한다. 일례로 페이스북이 '리브라' 코인을 만들었지만, 사람들은 페이스북이라는 회사를 신뢰하지 못하여 실패하였다. 결국은 누가 미국의 제도권 화폐인 달러만큼 믿음직한 존재가 될 것인지를 이야기하고 있다. 미국 정부는 국민에게 세금을 받을 수 있는 권리가 있기 때문에 발행한 제도권 화폐, 달러에 대해서 가치를 보증할 힘이 있다는 것이다. 근데 누가 그런 위치를 차지할 수 있을까? 현재 마이크로소프트, 애플, 구글, 아마존 미국의 4대 빅테크 기업들이 위치에 도전하고 있다. 이 기업들이 현재 하는 일은 모두 다르지만, 바라보는 곳은 제도권 화폐를 대신할 가상화폐를 발행할 믿음을 보장하는 기업이 되기를 원한다. 이들은 사용자의 건강 상태, 재정 상태 등을 AI를 통하여 체계적으로 관리하는 시스템을 도입한다. 그뿐만 아니라 일상에서 "무엇이든 물어보세요, 당신이 원하는 답을 드릴게요"와 같은 인공지능 서비스를 도입하여 사용자들의 신뢰를 얻고 있다. 결국은 이런 빅테크들이 나중에 디지털 화폐를 발행하고, 그 화폐가 이런 중독성 있는 서비스에 의해서 기꺼이 세금을 낼 만하다고 사용자들은 인식할 것이다. 제도권은 이를 두려워하기에 빅테크 기업들을 견제하고 규제를 가하고 있다. 민간의 암호 화폐가 궁극적으로 실현된다면, 암호화폐의 기반 블록체인의 최대 한계인 느린 시스템을 개선해야 할 것이다. 안전하고 빠르게 거래하기 위해 제드 매칼랩과 데이비드 스트라스가 리플을 만든다. 리플 회사의 암호화폐 티커는 XRP로서, 다른 암호화폐보다 훨씬 안정적이고 빠르다. 심지어 다른 암호화폐가 거래될 때 XRP를 건너가는 중간 매개체 역할도 한다. 아래는 위에서 언급한 4대 빅테크 기업에 대한 기업 분석이다.

5. AAPL

애플은 아이폰으로 유명한 세계적인 회사다. 현재 애플의 시총은 4,700조 정도 된다. 삼성전자가 500조이기에 애플 1개와 삼성전자 9개가 비슷한 규모라고 볼 수 있다. 코스피와 비교하면 코스피 전체를 합친 것보다 규모가 크다고 하니 기업 하나가 하나의 국가로 봐도 무방할 정도이다. 애플의 매출 구성은 현재 아이폰이 50% 정도의 매출을 올리고 있고 나머지 애플워치와 맥북 에어팟 아이패드가 나머지 매출을 올리고 있다. 하나의 기기가 여러 제품과 호환이 되다 보니 아이폰을 구매하게 되면 다른 제품들 구매까지 이어진다. 이러한 생태계가 애플의 매출과 이익에 기여를 하고 있다. 애플에서는 인공지능 쪽에서도 꾸준하게 투자하고 있어서 미래에 AI가 더 부각된다면 큰 폭의 매출과 이익 상승이 기대되는 부분이다.

6. GOOGL

구글은 구글과 유튜브를 보유한 회사다. 구글은 전 세계 1위 검색엔진 회사이고 유튜브는 전 세계 1위 영상 회사며, 여러 자회사를 거느리는 지주회사이다. 현재 이 회사의 시가총액은 1,800조 정도로 삼성전자보다 3배 이상 규모가 큰 회사다. 과거부터 지금까지 꾸준하게 매출과 이익이 증가하고 있고 비즈니스가 탄탄하다 보니 확실한 안전마진이 있다. 현재는 AI 시장에도 진출하여, 앞으로 인공지능에 대한 수요가 늘어난다면 더 크게 성장할 여지가 있어 보인다. 해당 주식은 배당금은 지급하지 않으며, 또한 현재 GPT가 크게 주목을 받으면서 구글 검색시장에도 타격이 있을 수 있다. 사람들이 구글보다는 GPT에만 물어볼 수 있는 가능성이 존재한다. 알파벳의 주요 매출처가 구글이고 구글에서 광고 매출이 가장 크기 때문에 리스크가 있다. 하지만 많은 사람들이 이미 구글 검색에 익숙해진 상태이고 이미 방대한 정보들이 있다 보니 아직은 구글을 대체할 만한 수준은 아니라고 보인다.

7. AMZN

아마존은 전 세계 1위 전자상거래 업체다. 클라우드, 디지털 스드리밍, 인공지능 등의 여러 사업을 하고 있다. 단, 전자상거래에서 거의 90% 정도의 매출을 일으키고 있다. 현재 북미에서 60% 정도의 매출을 올리고 있고 나머지 나라에서 40%가 나오고 있다. 과거 10년간 아마존의 매출과 이익은 꾸준하게 상승해 왔으며, 업계 내에서 확실한 점유율을 차지하고 있고 온라인 사업이 계속 성장하고 있어서 계속 혜택을 받고 있다. 현재 아마존의 시가총액은 약 2,800조 정도로 삼성전자의 5배 이상 규모다. 아쉽게도 배당금은 없으나, 이는 성장하는 기업들의 특징이다. 배당금을 보다는 이 자금을 성장하는 데 쓰는 것이기 때문이다. 현재 아마존도 마찬가지로 AI 시장에 꾸준히 투자하고 있다. 앞으로 인공지능이 부각된다면 더 큰 폭의 매출과 이익 성장이 기대되는 부분이다. 전자상거래에서 확실한 성과를 이루고 나서 거기서 벌어들인 자금으로 신성장 사업에 투자하고 있다.

8. MSFT

마이크로소프트는 1975년 빌 게이츠와 폴 앨런이 설립한 글로벌 기술 기업이다. 마이크로소프트의 시가총액은 4,800조로 삼성전자에 9배에 달하는 규모이다. 이들의 주력 사업으로는 Windows 운영체제, Office 생산성 소프트웨어, Azure 클라우드 서비스 등이 있다. Microsoft는 클라우드 서비스와 소프트웨어 라이선스를 통한 높은 수익성과 꾸준한 매출 성장을 기록하며, Apple, Google, Amazon 등과 경쟁하며 미국의 4대 빅테크 기업을 이루고 있다. 특히 Azure의 빠른 성장과 AI, 머신러닝 기술에 대한 지속적인 투자, 기업용 솔루션 강화, 그리고 게이밍 부문의 확장을 통해 미래 성장을 도모하고 있다. 혁신적인 기술과 다양한 사업 포트폴리오를 통해 기술 산업 전반에서 강력한 위치를 유지하고 있으며, 향후 클라우드 컴퓨팅, 혼합현실, 새로운 하드웨어 라인업, 글로벌 시장 확장을 통해 성장세를 이어가고 있다.

9. 투자 원칙

나는 가치투자자로서 장기적 관점에서 투자한다. 투자전략은 가격의 적정가치로 회기로, 언젠가는 믿고 있는 Fundamental value로 주가가 돌아올 것이라 믿고 투자한다. 따라서 관심을 두고 있는 기업의 주가가 하락할 때 더 사고, 상승할 때 차익을 실현한다. 앞서, 토스의 주식 모으기 서비스를 통하여 해외주식 140,000원, 국내 주식 100,000원을 매수하여 매일 240,000씩 매수하도록 설정했다. 월요일에서 금요일까지, 총 5일이자 한 달에 20일을 계산하면 4,800,000원을 매수하게 되는데, 이는 주가의 흐름을 파악하기 위한 정찰병 역할을 한다. 예를 들어, 애플을 매일 15,000원씩 매수하다 어느 날 -5~10%의 하락을 맞게 된다면, 그때 예수금을 투입하여 애플을 매수한다. 그렇게 주가를 복구하여 수익이 나면 매도하는 전략을 추구한다. 이 전략으로 2024년, 올해 매달 50~100만 원 사이에 수익을 실현하고 있다. 물론 수익을 내지 못하고 손실을 맞는 종목도 있다. 금융자산 운용 투자금의 3%까지 리스크를 감수하고 있다. 예를 들어, 금융자산 운용 자금이 1,000만 원이라면 한 종목당 30만 원의 리스크까지 감내한다. 내가 구성한 포트폴리오에는 대부분 동일한 섹션에 개별종목으로 이루어져 있다. 이에 나스닥이 호황일 경우 수익률이 높지만, 그렇지 않을 경우 꽤 큰 손실도 발생한다. 하루에 100만 원 가까이 손실을 본 경우도 있었으며, 이럴 때일수록 Fundamental value에 집중한다.

10. 기회비용과 희소성의 논리

기회비용은 하나를 선택했을 때, 그로 인해 포기한 것 중 가장 큰 것의 가치를 말한다. 돈에 있어서 기회비용은 상당히 중요하다. 자본주의 사회에서 돈을 가만히 쌓아두는 것은 바보 같은 짓이다. 돈을 현금으로 집에만 쌓아두고 있다면 은행예금에 대한 이자만큼의 손해가 난다. 또 한 해를 거듭할수록 인플레이션이 발생하기 때문에 가지고 있는 자산의 가치가 하락한다. 거시적으로는 소비가 활성화되지 않아 경제가 굳는 현상이 발생한다. 주식투자까지는 아니더라도 최소한 은행예금에 대한 이자는 챙겨야 하는 부분이라 볼 수 있다. 두 번째로 수요에 비해 공급이 적을수록 희소성이 높다. 희소성이 높으면 가치도 당연히 높아진다. 가지고 싶은 사람은 많지만, 개수는 정해져 있기 때문이다.

11. 금융투자의 필요성

한국의 2000년 이전에는 예·적금 금리가 고금리 시절이었기에 성실하게 근로해서 번 소득으로 저축하는 것이 성공의 지름길이었다. 따라서 과거 한국 사회에서는 누구나 근면, 성실, 노력을 하고 열심히 저축하는 인생을 산다면 성공의 단계에 누구나 올라갈 수 있었던 사회였다. 하지만 현재는 저금리 시대로 실질적인 물가상승률을 고려해 보면 예·적금을 하는 경우 오히려 손해를 크게 본다. 서울의 부동산 가격 상승률을 현재 근로소득을 저축해서 따라잡기란 거의 불가능한 상황이다. 기존사회에서 이미 자본을 축적한 사람들은 더 많은 부를 향유하고, 그렇지 못한 사람이 이러한 자본의 격차를 따라잡는 건 더더욱 불가능에 가까운 사회로 치닫고 있다. 근본적인 원인은 자본투자의 수익률과 노동 수익률 격차에 있고 인공지능과 기계의 발달로 노동 수익률의 하락을 말할 수 있다. 산업의 구조가 급격하게 바뀌어서 노동수요가 전반적으로 하락하고 기계 및 인공지능으로 대체되었다. 이에 단순노동 수요는 급감하는 변화를 맞이했다. 기존 산업군의 일자리 또한 대다수가 사라지는 변화를 경험할 수밖에 없으며 결국 개인이 아무리 공부해도, 아무리 노력해도 자신의 자본 수준에 고정된 삶을 살아갈 수밖에 없는 세상이다.

12. 금융투자와 4차 산업혁명

4차 산업혁명이 급속도로 다가오고 있다. 짧지만, 지난 금융시장 경험에 비추어 보아 이것이 수백 배의 부를 창출해 낼 수 있다는 부분에 있어서 의심할 여지가 없다. 4차 산업혁명, 즉 디지털 인공지능 혁명이 도래되면, 인간의 단순한 노동력 및 일자리 는 대부분 사라지게 된다. 일례로, 패스트푸드 주문은 점원이 수동으로 받았으나 지금은 키오스크를 통한 무인 주문이 대부분 활성화되어 있다. 번역을 위해 전문 번역사가 필요하였으나 지금은 구글의 인공지능 번역기, 파파고 등으로, 실시간으로 번역 서비스를 손쉽게 이용할 수 있다. 이처럼 산업의 전반에 걸쳐서 더 많은 인간의 단순 일자리 및 전문 노동력에 대한 수요는 사라질 것은 분명하다. 인간의 노동력이 사라지는 세상이 점점 다가오게 되면 결국 산업의 중심에 있는 기업이 그 부를 전부 흡수하는 현상이 발생하게 된다. 1998~2000년대 인터넷 산업의 태동이 시작되자 인터넷 정보통신기업의 수백 배의 폭발적인 상승을 기록하였고, 그 이후에는 산업에서 핵심 기업만이 현재 살아 남아있다. 결국, 인터넷 산업에 투자했던 스마트머니는 수백 배의 자본이득을 창출하였고 4차 디지털 산업 혁명이 다가오고 있는 이 시점에서 발 빠른 투자는 장기적인 측면에서 수백 배 자본을 불릴 수 있다.

13. 금융투자 트렌드

주식이 속한 산업의 트렌드를 잘 파악해야 한다. 미래산업의 트렌드에 맞지 않는 투자처는 다음과 같다. 1, 3차 산업이 활성화된 한국의 경우 조선, 정유, 화학, 건설, 제조업, 철강, 금융, 항공 산업이 있다. 전 세계 산업구조가 고도화되면서 제조업 비중이 작아지고 있지만 한국은 여전히 제조업 비중이 크다. 한국의 합계출산율 1명 선이 무너지면서 장기적인 경제 성장률은 0에 수렴한다. 따라서 한국 대다수 기업을 장기 투자하는 것은 부적절하다. 미래산업의 추세에 철저히 맞는 투자를 해야 한다. 이에 대한 적절한 산업은 미국의 4차 산업이 있다. 첨단 무형자산, 인공지능, 데이터센터, 클라우드, 그래픽, CPU, 반도체 등 미국 나스닥 핵심 종목에 선별 투자하는 것을 추천한다.

14. 가치투자

　가치투자는 회사의 가치, 미래 성장성, 제품의 경쟁력 등 종합적으로 파악하여 투자하는 기법이다. 이미 가치가 입증된 회사를 장기투자 하는 것이다. 사실 삼성전자는 5년 전이나 10년 전이나 15년 전이나 20년 전이나 꾸준히 우상향하는 종목 중 하나였다. 하지만 그때에도 많은 투자자들은 삼성전자보다는 다른 회사에 투자하였다. 아마 규모가 큰 것이 가장 큰 이유라고 보인다. 대부분의 투자자는 규모가 크면 움직임이 느리다고 생각한다. 삼성전자같이 움직임이 적은 종목보다는 변동성이 높은 종목들 즉 급등주, 단타주, 테마주 등 위험한 종목들에 몰리는 경향이 있다. 사실 여기서 한번 맛을 보게 되면 위처럼 우량한 회사를 장기투자 하는 것은 어렵다. 한번 만들어 놓은 투자 습관은 다시 되돌리기가 어렵다. 투자는 단순할수록 좋다. 좋은 주식을 장기 투자, 분산투자 하는 습관은 안정적으로 수익을 낼 수 있는 방안이 된다.

15. 금리

　금리는 돈을 빌릴 때 또는 저금할 때 지불해야 하는 이자의 비율을 나타내는 금융 개념이다. 금리는 대출금리와 예금금리로 나뉜다. 대출금리 는 은행이 대출을 제공할 때 대출 수령자에게 부과하는 이자율을 나타낸다. 예를 들어, 개인 대출, 주택담보 대출, 기업 대출 등의 경우 은행은 대출에 대한 이자를 부과하며, 이것이 대출금리다. 예금금리는 은행이 예금을 받을 때 예금 원에 지급하는 이자율을 나타낸다. 예금을 은행에 보관하면 은행은 예금자에게 이자를 지불하며, 이것이 예금금리다. 금리는 경제의 중요한 요소 중 하나로, 중앙은행과 정부는 금리를 조절하여 경제의 흐름을 관리하고 조절한다. 금리를 인상하면 돈을 빌리거나 대출을 받는 것이 비용이 더 커지므로 경기를 냉각시키는 효과가 있다. 반면, 금리를 인하하면 돈을 빌리거나 대출을 받는 것이 더 저렴해지므로 경기를 활성화하는 효과가 있다. 이 때문에 금리는 투자 및 저축 결정에도 영향을 미치며, 금융 시장에서는 금리 변동에 따라 주식, 채권, 부동산 등 다양한 자산의 가치가 변동할 수 있다.

16. 주식

주식은 기업이 자본을 조달하기 위해 발행한 증권으로, 쉽게 말해 회사의 소유권이다. 주식을 소유한 주주는 이를 통해 회사의 의결권, 수익, 그리고 자산으로 보유할 수 있다. 주식 투자는 시세차익을 목적으로 주식회사의 증권을 사고파는 투자 활동이다. 엄밀하게는 선물 및 옵션과 같은 파생상품에 투자하는 것은 주식 투자라 부르지 않으며, 현물 투자만을 주식 투자라고 한다. 주식 시장에서는 다양한 기업의 소유권을 주식으로 매매할 수 있으며 주가는 수요와 공급에 따라 좌우된다. 주식을 매수하는 사람들이 매도하는 사람보다 많을수록 가격은 올라가며, 반대일 경우에는 가격이 내려간다. 주가에 변동이 있을 때마다 회사의 가치에도 변동이 있다. 시가총액은 회사의 가치를 판단하는 지표이며, 이는 회사가 유통할 주식의 개수와 주가를 곱하여 계산하는 수치다. 예를 들어, 회사가 유통할 주식의 개수가 100개이고 주가가 1만 원인 경우 이 회사의 시가총액은 100만 원이다. 따라서 10만 원짜리 주식의 회사와 5만 원짜리의 주식의 회사가 동일한 가치를 소유하는 경우도 있다. 회사 A와 회사 B 둘 다 매년 10만 원의 이익을 얻고 있다는 시나리오 내에서 A의 회사는 1천 원짜리 주식을 1,000개 그리고 B의 회사는 1만 원짜리 주식을 100개 발행한 상황을 고려해 보겠다. 비록 A 회사의 주가가 10배 더 높지만, 두 회사의 시가총액은 100만 원으로 동일하기 때문에 주식 시장 내에서 두 회사는 같은 가치를 가지고 있다.

17. 주식의 종류와 배당

주식은 크게 보통주 그리고 우선주로 나눌 수 있으며 일반적으로 매매할 수 있는 것은 보통주다. 우선주는 배당이 더 높지만 통상 의결권이 없고, 이익과 잔여재산 분배 시 우선권을 가지고 있다. 즉 주식회사가 망했을 때 자산 매각 시에는 우선주 주가 보통 주주보다 자신의 주식에 대한 청구권을 먼저 가지고 있다는 뜻이다. 배당은 주식을 소유하고 있는 사람들에게 소유 지분에 따라 기업이 이윤을 분배하는 것이다. 배당락일은 배당에 대한 권리가 떨어진 날이며, 배당 주주들은 배당락일 전일까지는 주식이나 ETF를 보유하여야 배당금을 받을 수 있다. 배당락일 전일까지만 주식을 매수하고, 배당락일에 매도하더라도 배당금을 받을 수 있다.

18. 배당

배당은 기업이 벌어들인 이익 중 일부를 주주들에게 현금이나 추가 주식으로 지급하는 것이다. 배당은 배당률이 아닌 배당금을 보는 게 정확하다. 배당률은 주가에 따라 달라지지만, 배당금은 주가와 상관없이 회사가 배당금을 올리면 상승하게 된다. 1주당 얼마씩 배당금을 지급한다고 분기마다 공시하게 된다. 만약 배당률이 5%라는 것은, 100만 원의 주식을 가지고 있을 때 연간 5만 원의 배당이 있다는 것이고, 이것을 4개의 분기로 나누어 12,500원씩 받는 것 원리이다.

19. 주가지수의 종류

주가지수는 여러 개의 주식 가격을 한 번에 나타내는 지표이다. 코스피는 한국거래소 유가증권시장 내 상장된 모든 회사의 종합주가지수 코스피 지수의 기준은 1980년 1월 4일의 시가총액을 100으로 기준으로 산출하는 지수다. 코스닥은 한국 중소기업들의 종합주가지수 코스닥의 기준시점은 1990년 1월 3일의 시가총액을 100으로 기준으로 산출하는 지수다. 다우존스는 NYSE와 나스닥 상장기업 중 세계 경제를 대표하는 30개 기업의 지수이며, 나스닥은 미국 벤처기업, 기술주들의 종합주가지수이다. S&P 500은 NYSE와 나스닥 상장기업 중 미국을 대표하는 500대 대기업을 추려 만든 주가지수이다.

20. 펀드

펀드는 투자자로부터 모은 자금을 증권사가 주식 및 채권 등에 투자 후 그 결과를 돌려주는 간접 투자 상품이다. ETF는 거래소에 상장시켜서 사람들이 주식처럼 편리하게 거래할 수 있도록 만든 상품이다. 쉽게 말하면 주식의 묶음이다. 그 때문에 ETF는 코스피, 코스닥, 나스닥 지수 등에 영향을 받는다. ETF의 장점은 장내 시간에, 주식시장에서 편하게 거래할 수 있다. 지수에 영향을 받는 상품이기 때문에 여러 개의 기업에 분산투자 하는 효과가 있다. 거래 수수료가 저렴하며 주식과 마찬가지로 배당금을 받을 수 있다. 단점은 추적오차와 괴리율이 발생한다.

21. 티커

미국 주식 창에서 증권을 표기할 때 쓰는 약어

ex) 애플 -> AAPL, 마이크로소프트-> MSFT

22. ETF 레버리지 장기투자

음의 복리 효과는 임의의 값 X에서 같은 비율로 등락을 반복한 결과는 X

보다 작은 값이고 이를 무수히 반복하면 0에 수렴한다.

가정 1) 100만 원이 전 재산인 한 사람이 있다. 도박 시 전 재산을 베팅했다고 가정하자. 게임의 규칙은 반반의 확률로 건 돈의 10%를 따거나 10%를 잃는다. 이 남자는 게임을 총 6번 했고, 따고 잃기를 반복했다. 6번의 게임 후 이 남자의 전 재산은 얼마일까? 놀랍게도 같은 비율로 등락할 때 순자산이 감소하는 것을 볼 수 있다. 이 음의 복리 효과는 등락률이 더 클 때 더 두드러지게 나타난다.

회차	1회	2회	3회	4회	5회	6회
결과	승(+10%)	패(-10%)	승(+10%)	패(-10%)	승(+10%)	패(-10%)
1,000,000	1,100,000	990,000	1,089,000	980,100	1,078,110	970,299

가정2) QQQ, QLD, TQQQ 20% 등락이 하루하루 반복된다고 가정해 보자. 이때 각 ETF의 수익률은 아래와 같다.

	0일(투자금)	1일(+20%)	2일(-20%)	3일(+20%)	4일(-20%)	5일(+20%)	6일(-20%)
QQQ	1,000,000	1,200,000	960,000	1,152,000	921,600	1,105,920	884,736
QLD	1,000,000	1,400,000	840,000	1,176,000	705,600	987,840	592,204
TQQQ	1,000,000	1,600,000	640,000	1,024,000	409,600	655,360	262,144

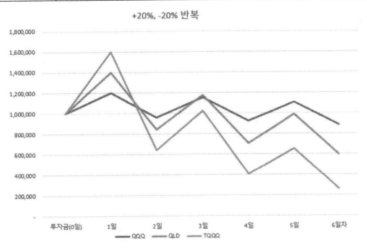

이처럼 확실한 상승장에는 레버리지를 사용하는 게 좋지만, 등락 변동성이 큰 시장에서는 그대로 하락할 수도 있으니 주의해야 한다.

23. ETF 레버리지

QQQ: 나스닥 지수가 1% 상승하면 1%의 수익, 1% 하락하면 1% 손실.

QLD: 나스닥 지수가 1% 상승하면 2%의 수익, 1% 하락하면 2% 손실.

TQQQ : 나스닥 지수가 1% 상승하면 3%의 수익, 1% 하락하면 3% 손실.

PSQ: 나스닥 지수가 1% 상승하면 1%의 손실, 1% 하락하면 1% 수익.

QID: 나스닥 지수가 1% 상승하면 2%의 손실, 1% 하락하면 2% 수익.

SQQQ: 나스닥 지수가 1% 상승하면 3%의 손실, 1% 하락하면 3% 수익.

24. ETF vs ETN

증권회사가 자기신용으로 발행하는 ETF와 ETN 두 상품의 결정적인 차이점은 ETN이 증권회사가 자기신용으로 발행하는 '파생상품'인 반면 ETF는 자산 운용사가 해당 지수의 구성 종목을 직접 편입해 운영하는 '펀드'이다. 파생상품과 펀드라는 차이 탓에 양자의 수익 구조에는 결정적 차이가 있다. 우선 ETN은 발행 증권사가 수수료를 제외한 추종 인덱스 수익률을 보장한다. 즉 약정된 기초 지수의 수익률과의 추적 오차가 없거나 작은 편이다. 반면에 ETF의 경우 사산운용사들이 추종하는 지수에 포함된 종목을 운용하기 때문에 지수 수익률 자체와 차이를 보일 수 있다. 또한 ETN은 만기가 있는 파생상품이라는 점에서 만기가 없는 펀드인 ETF와 차이가 있다. 아울러 ETN은 발행 증권사가 자기 계정으로 보유 운용하기 때문에 증권사의 파산 시 또한 상장 폐지되는 '신용 리스크'가 존재한다. 실제로 20년 리먼 브러더스 파산 당시, 리먼 브러더스가 발행한 3개의 ETN 보유자는 큰 손실을 봤다. 다만 투자자 관점에서 ETN과 ETF는 특정 기초 지수의 등락에 따라 가격이 결정되며 한국거래소에 상장돼 장중 거래할 수 있는 간접투자 상품이라는 점에서 유사하게 느껴진다. 이런 점 때문에 금융업계 일각에서는 ETN 시장 개설에 따라 이와 유사한 ETF 시장과 충돌하면서 기존 ETF 시장을 잠식시키는 것이 아닌가 하는 우려가 제기됐다만, 한국거래소는 추적 대상 자산의 범위 ETF 대 ETN의 상품개발 대상 중복에 따른 업계의 이해충돌을 방지하기 위해 ETF와 ETN의 고유 영역 설정했다.

25. 도박사의 오류

서로 독립적으로 일어나는 확률적 사건이 서로 확률에 영향을 미친다는 착각에서 기인한 논리적 오류로, 도박사들이 성격의 특성상 앞에서 일어난 사건과 그 뒤에 일어날 사건이 서로 독립되어 있다는 확률 이론의 가정을 받아들이지 않는다. 예를 들어, 동전을 던져서 앞면이 5회 연속으로 나오면 그다음은 뒷면이 나올 확률이 높아질 것으로 착각하게 된다. 금융투자는 현재와 미래 구간이 중요하며 과거와 현재를 연결해서 사고하면 도박사의 오류에 빠질 수 있다.

26. 폭락

폭락을 예측할 수 있을지는 언제나 미지수다. 지금까지 이때쯤 폭락이 올 것으로 생각하였는데 오히려 주가가 더 크게 상승하여 나중에는 더 비싼 값을 주고 매수한 적도 많았다. 반대로 생각하였는데, 갑작스러운 폭락이 와서 심하게 데이는 경우도 많았다. 언론에서도 항상 폭락이 온다고 말하는 경우가 많지만, 지금까지 맞은 걸 별로 본 적이 없다. 예전에 언론에서 공포심을 조장하여 현금 비중을 크게 두었는데 나중에는 50% 상승하여 50% 비싼 값을 주고 매수한 적이 있다. 주식 매수 타이밍을 예측하는 건 불가능하다. 100% 상승하고 20% 폭락이 온다면 기다리는 게 크게 의미는 없어 보인다. 가치 있는 회사를 빨리 매수하고 보유하는 것이 가장 현명한 투자 방법이다. 가까이서 보면 폭락일 수 있지만 길게 보면 아주 작은 이벤트에 불과한 것, 그냥 하루빨리 매수하고 마음 편하게 보유하는 게 가장 좋다.

27. 재무제표

재무제표는 기업의 재무 상태와 경영 성과를 종합적으로 나타내는 문서이다. ROA는 Return On Assets의 줄임말로, 총자산이익률을 의미한다. 회사가 보유한 총자산에서 얼마만큼의 이익을 창출했는지를 나타내는 지표로, ROA가 높을수록 회사가 자산을 효율적으로 활용하여 이익을 창출하고 있다는 것을 의미한다. 기업의 일정 기간 창출한 순이익에 해당하는 당기 순이익이 총자산 대비 어느 정도인지 알려주는 비율이다. 대략 ROA가 10% 이상이면 우수한 수준으로 평가한다. ROE는 Return On Equality의 줄임말로, 자기자본이익률을 의미한다. 회사가 보유한 자기자본에서 얼마만큼의 이익을 창출했는지를 나타내는 지표로, ROE가 높을수록 회사가 자기자본을 효율적으로 활용하여 이익을 창출하고 있다는 것을 의미한다. 쉽게 말해, 얼마로 시작해서 최종적으로 얼마를 벌었는가로 이해하면 편할 것이다. 숫자가 커질수록 적은 돈으로 많은 돈을 번다는 것을 의미한다. ROE가 15% 이상이면 우수한 수준으로 평가한다. EPS는 Earning Per Share의 줄임말로, 주당 순이익을 의미한다. 회사가 벌어들인 당기순이익을 발행 주식 수로 나눈 값으로, 주주가 투자한 1주당 얼마나 많은 이익을 가져갈 수 있는지를 나타내는 지표다. EPS가 높을수록 회사의 수익성이 높다는 것을 의미한다. PER은 Price Earning Ratio의 줄임말로, 주가수익비율을 의미한다. 주가를 EPS로 나눈 값으로, 주가가 주당 순이익 대비 얼마나 비싼지를 나타내는 지표다. PER이 높을수록 주가가 고평가되어 있다는 것을 의미하고, PER이 낮을수록 주가가 저평가되어 있다는 것을 의미한다. BPS는 Book-value Per Share의 줄임말로, 주당 순자산을 의미한다. 회사의 순자산을 발행 주식 수로 나눈 값으로, 주주가 투자한 1주당 회사가 보유한 순자산의 가치를 나타내는 지표다. BPS가 높을수록 회사의 재무 건전성이 높다는 것을 의미한다. PBR은 Price to Book Ratio의 줄임말로, 주가순자산비율을 의미한다. 주가를 BPS로 나눈 값으로, 주가가 순자산 대비 얼마나 비싼지를 나타내는 지표다. PBR이 높을수록 주가가 고평가되어 있다는 것을 의미하고, PBR이 낮을수록 주가가 저평가되어 있다는 것을 의미한다.

28. 인플레이션

인플레이션은 일반적으로 물가가 상승하는 경제 현상을 나타낸다. 즉, 인플레이션 특정 기간 소비재와 서비스의 가격이 전반적으로 오르는 현상을 가리킨다. 소비자와 기업이 풍부한 자금을 가지고 있을 때, 수요가 과도하게 증가하여 물가가 상승할 수 있다. 특정 상품이나 서비스의 공급이 제한적일 때 가격이 상승할 수 있다. 예를 들어, 천재지변, 자연재해, 생산능력 부족 등으로 인해 공급이 줄어들면 물가가 올라갈 수 있다. 생산 비용이 상승할 경우, 기업들은 이를 소비자에게 전가하려고 할 수 있다. 예를 들어, 원자재 가격 상승이나 노동 비용 증가가 비용 증가의 예시다. 통화량이 증가하면, 과도한 통화 공급으로 인해 물가가 상승할 수 있다. 중앙은행이 화폐를 인쇄하거나 디지털 화폐를 발행하는 경우 이러한 상황이 발생할 수 있다.

29. 미국과 중국

미·중 분쟁은 미국과 중국 간의 정치, 경제 및 지역적 이해관계에서 발생하는 긴장과 갈등을 지칭하는 용어다. 이러한 분쟁은 다양한 이유로 발생하며, 각종 국제 문제와 이슈에 영향을 미친다. 회사가 성장하기 위해선 그들이 만든 물건이나 제품이 많이 팔려야 하며, 그렇다면 인구가 많은 나라에 수출하는 것이 회사 입장에서는 좋은 것이다. 중국의 인구는 14억 명이 넘으며, 미국의 대형 회사들이 중국으로 가는 큰 이유 또한 많은 인구 때문일 것이다. 미·중 분쟁은 미국 대형주 주가에 큰 영향을 미칠 수 있기에 관심을 가져야 한다. 미·중 분쟁은 무역 관련 기업에 직접적인 영향을 미친다. 미국 기업 중 중국과의 강력한 무역 관련 연결성을 가진 기업은 무역 관세와 무역 규제로 인해 비용이 증가하여 수익에 영향을 미친다. 이에 따라 기업의 주가가 하락할 수 있다. 미·중 분쟁이 지속되면, 세계 경제에 부정적인 영향을 미칠 가능성이 있다. 무역 갈등으로 인해 경제가 둔화하면 기업 수익에도 영향을 미칠 수 있으며, 이는 주식 시장에 부정적으로 작용할 수 있다. 미·중 분쟁으로 인해 불확실성이 증가하면, 투자자들은 안전 자산으로의 이동을 고려한다. 이에 따라 국채 수익률이 하락하고, 중앙은행의 금리 정책이 조정될 수 있다. 이러한 변화는 주식 시장에서 수익률을 낮추는 요인이 된다.

21. 이스라엘과 하마스

이스라엘과 팔레스타인의 문제는 기원전 2100년, 지금으로부터 약 4천 년 전 지금의 이라크 땅인 메소포타미아에서 아브라함과 그의 가족들이 가나안 땅 지금의 팔레스타인으로 이사를 오면서 시작됐다. 아브라함과 그의 아내 사라 사이에서 아들이 태어나지 않았고, 이에 하갈이라는 첩을 들인다. 그렇게 아브라함과 하갈 사이에서 이스마엘이 태어났다. 아브라함이 100살 때, 사라도 임신하였고 이삭이 태어난다. 이스마엘은 첫째지만 본부인의 아들이 아니며, 이삭은 둘째이지만 본부인의 아들이다. 그렇게 하갈과 이스마엘이 쫓겨나고 시간이 흘러 이스마엘의 후손은 아랍인이 된다. 그리고 이삭의 후손들은 유대인이 된다. 이처럼 성경 말씀에 따르면 유대인과 팔레스타인인은 배다른 형제다. 그렇게 유대인들은 지금의 이스라엘 땅의 북부에서 정착해 살고 아랍인들은 남부에 정착해 살았다. 기원전 68년부터 서기 70

년, 로마가 유대인들이 통치하고 있던 가나안 지방을 침략한다. 당시 로마의 대군이 지금의 유대 국가를 박살 내버린다. 40만 명의 유대인들이 로마 병사와 함께 지금 이탈리아인 로마로 끌려온다. 그 당시 유대인 노예들이 로마의 콜로세움을 만들었다. 이때부터 무려 2천 년 동안 유대인들은 유럽과 세계 각지를 떠돌게 된다. 이른바 디아스포라의 시작이다. 1차 세계대전이 발발하고 독일, 오스트리아, 헝가리, 튀르키예와 영국, 프랑스, 러시아로 나뉘게 된다. 사우디아라비아, 요르단, 시리아, 이집트는 튀르키예의 식민지였다. 이때 영국이 튀르키예의 식민지였던 중동 국가들에 접근하여 너희들이 밑에서 오스트리아를 처리해 주면, 우리가 너희를 튀르키예로부터 독립시켜 준다는 일명 '맥마흔 선언 협정'을 이슬람 유력 세력과 맺는다. 하지만 1차 대전이 점점 시간이 흘러가면서 영국이 자금이 부족해졌고, 그때 영국계 유대 금융 제보를 했던 로스차일드 가문이 영국에게 접근한다. 로스차일드 가문은 영국에게 유대 금융 자본을 빌려주는 대신 팔레스타인 땅에 유대인 독립 국가를 만들어 달라고 한다. 그렇게 영국은 당시 영국 외무장관 이름을 따서 만든 벨푸어 선언을 통하여 유대인들에게 독립 국가를 만들어주겠다고 약속한다. 그렇게 영국은 중동 국가와 유대인들과 이중 계약을 하였다. 이 때문에, 이후 유대인들은 팔레스타인 땅에 들어와 정착하기 시작했다. 유대인과 팔레스타인 양측에서 영국에게 요구하니 영국 또한 감당되지 않았고, 이 문제를 국제연합 UN에 넘기고 분쟁에서 빠졌다. 1947년도에 UN은 유대인과 팔레스타인인들에게 영토를 똑같이 반으로 나누라는 UN 결의안을 발표한다. 하지만 당시 팔레스타인과 유대인의 인구 비율을 보면 팔레스타인이 80%나 달했지만, 유대인은 10%밖에 되지 않았다. 하지만 UN결의안에 따르면 유대인 10%에게 영토 50%를 주고, 마찬가지로 팔레스타인 80%에게도 영토를 똑같이 50% 줘버린 꼴이 된 것이다. 결의안이 채택되자마자 1948년 5월 14일 이스라엘은 건국을 표명했고, 이는 나머지 중동 국가들 입장에서 선전포고와 다름없었다. 팔레스타인 입장에서 10%밖에 안 되는 유대인 인구가 땅의 반을 차지하는 것과 동시에 이스라엘 건국을 한 것에 불만을 가졌고, 그렇게 1948년도 제1차 중동 전쟁이 발발된다. 1차 중동 전쟁의 결과는 이스라엘의 압승이었다. 이스라엘 뒤에는 막강한 미국의 지원이 있었는데, 이는 이미 미국 내에 이스라엘의 영향이 있다는 것을 말한다. 일례로 AIPAC, American Israel Public Affairs Committee 미국 이스라엘 공공 정책위원회는 미국 최고의 정치 로비 단체이며, 2016년 당시 조 바이든 부통령 또한 AIPAC에서 연설한 바 있다. 이처럼 미국의 대통령이 되기 위해서 먼저 이스라엘의 공공 정책위원회인 AIPAC을 반드시 먼저 거쳐야 하는 것이다. 정계뿐 아니라 유대인들은 당시 미국의 다이아몬드 시장을 독점하고 있었다. 이러한 상황 속에서 당시 미국의 트루먼 대통령은 유대인의 지원이 있어야 본인의 정권이 유지될 것으로 생각했고, 중동전쟁에서 이스라엘을 전폭적으로 지원한 것이다. 이 기세를 몰아 4차 중동전쟁까지 치르며, 이스라엘은 영토를 확장한다. 팔레스타인 가자지구와 서안지구 할 것 없이 팔레스타인 온건파 지역까지 빼앗는 이스라엘 극우 집권당, 그리고 사전 경고 없이 미사일을 쏘고 민간인까지 납치한 하마스도 결국 극단주의 세력의 귀결일 뿐이다.

22. 러시아와 우크라이나

러시아와 우크라이나는 한 뿌리였다. 키이우 루스라는 한 국가에서 러시아와 우크라이나는 갈라져 나왔으며, 같은 동슬라브족으로, 인종적으로 매우 가깝다. 1922년 소비에트 연방이 설립되면서 많은 국가가 소련 안에 편입이 된다. 우크라이나 또한 소련 안에 편입이 되는데, 우크라이나 내부에서는 소련에 반대하는 세력들이 있었기 때문에 소련은 우크라이나를 철저히 억압하였다. 이에 소련은 우크라이나를 대등한 관계가 아닌 지배하에 두려고 했다. 일례로 소련의 스탈린은 우크라이나 지역의 수확물을 탈취하여 약 390

만 명의 우크라이나 사람들을 굶겨 죽였다. 이러한 소련의 대우로 우크라이나 내부에서 민족주의적 감정이 싹트기 시작한다. 1991년 소련이 해체되면서 우크라이나는 완전한 독립을 이뤘고, 동시에 러시아가 건국된다. 하지만 우크라이나는 독립했음에도 불구하고 러시아와 관계를 쉽게 끊을 수 없었다. 우크라이나와 러시아가 국경을 공유하고 있었기에 우크라이나 국경 인근 지역에 러시아인들이 많이 거주하고 있었기 때문이다. 당시 미국을 중심으로 과거 소련의 공산주의 세력에 대항하기 위한 국제기구 NATO가 창설되었고, 유럽연합과 옛 소련 소속국들이 차례로 NATO에 가입한다. 그렇게 러시아 국경 코앞에 있는 우크라이나만 남게 되는데, 러시아는 우크라이나만큼은 서방으로부터 반드시 지키려고 하는 입장이다. 우크라이나가 NATO에 편입되면 러시아 바로 앞에 서방 군사 시설 및 병력 배치가 이뤄질 수 있기 때문이다. 우크라이나는 러시아가 자신의 영토를 노리고 있으니, NATO에 가입해서 국제사회에 보호를 받고자 하는 입장이다. 만약 우크라이나가 NATO에 가입한다면, 러시아 입장에선 서방세계가 자신들 앞마당을 먹어버리는 꼴이기 때문에 예민하게 반응할 수밖에 없다.

책을 마치며

저의 첫 작품을 읽어 주셔서 감사합니다.

작가에게 전할 피드백이나 메세지가 있다면
아래 QR코드를 통하여 자유롭게 남겨주세요.

이에 감사하는 마음을 가지고
더욱 정진하여,
앞으로 여러 작품으로 찾아 뵙겠습니다.